會計人的 Excel 小教室

增訂版

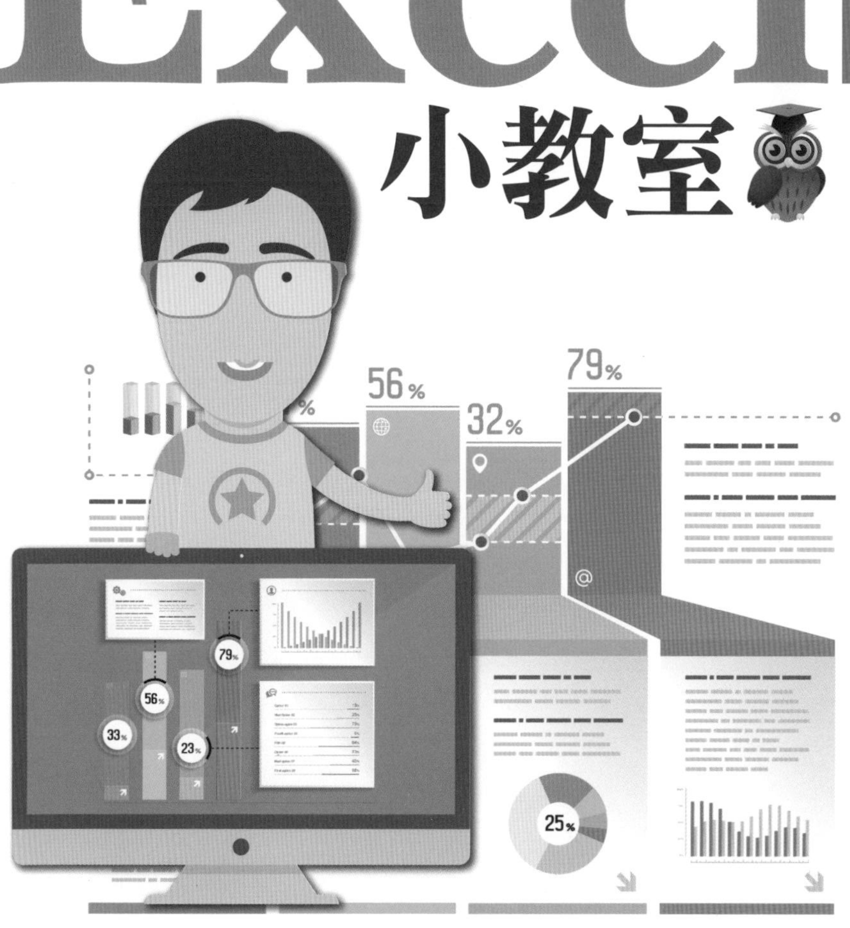

《會計人的 Excel 小教室》系列已經到了第三本書。在 Excel 書籍百花爭鳴的市場上冒出頭來，能夠有自己一塊小小的田地，是幸運、也是努力，展望前程時先回顧過往，在這個時候，應該回過頭去看看當初的第一本書。

在第一本書出版之前，贊贊小屋持續在部落格發表 Excel 文章，前後一兩年了，大約幾十篇文章，即使如此，當時對於能夠出書，有出版社願意幫我出版這件事情，還是覺得跟做夢一樣。

當時做法相對較簡單，從部落格裡精選 35 篇文章，依主題劃分為七個章節集結成冊。在先後順序和主題結構上，儘量有個較為完整的呈現，然而，畢竟原本為部落格文章精選，著重於工作實務的片段範例分享，不似傳統資訊軟體類書籍一樣，從零開始逐步介紹。

如果不是後來出到了第三本書，第一本《會計人的 Excel 小教室》倒也不會是太大的問題，不過經過兩三年，現在既然已經第三本書出來了，贊贊小屋在 Excel 方面的歷練、尤其是在有幸拓展領域到實體教室和線上課程之後，經驗值和教學心得當然會有一定程度的提升，現在回過頭去看，難免開始思考：是否可能讓第一本書名副其實地成為系列第一冊，一個像是會計系裡「初級會計學」或者「會計學原理」那樣的位階。

以當今最流行的超級英雄電影來說，就是思考如何重開機，回到一開始，好好的講一個故事，好好的分享職場 Excel 應用。

PREFACE

即使從現在的眼光來看，《會計人的 Excel 小教室》仍然是一本相當完整的書籍，從會計工作的範例報表出發，深入淺出地介紹 Excel 在資料整理和資料分析上的應用，包括 Excel 最強大兩個工具 Vlookup 函數和樞紐分析表，也包括實務應用的心得分享。

但如果是從一系列 Excel 書籍角度而言，個人覺得在基本環境和基本操作這一塊，可以再著墨深一點。

換而言之，傳統應用軟體大頭書的路線，仍然有其價值所在。

這裡所謂 Excel 基本環境和操作，並非從第一個指令到最後一個指令、第一個函數到最後一個函數，而是針對 Excel 的基本對象，如活頁簿、工作表、儲存格等，針對 Excel 基本操作，尤其是 Excel 之所以強大的函數公式這一塊，就算不是 108 式一招一招講起，至少也要有個畫龍點睛的心法秘訣分享，另外對於一定能大大提升效率的上方功能區、快速存取工具列、快速組合鍵等 Excel 法寶，更是應該有一定篇幅的介紹。

基於上述思惟，伴隨著第三本書的出版，第一本的增訂版緊接在後，希望能讓《會計人的 Excel 小教室》更加完善，成為所有職場工作者的 Excel 好幫手。

回顧過往，展望前程，贊贊小屋規劃在 Excel 圖表、VBA 巨集、Office 不斷改版所增添的功能部份，將來都有更多的著作分享，謝謝各位讀者支持。

共勉之。

贊贊小屋

1 Excel 基礎操作

2 Excel 基礎應用

3 報表數值格式處理

4 VLOOKUP 函數應用

5 樞紐分析表應用

6 管理報表應用

CONTENTS 目錄

7 原始報表整理

8 成本結算應用

A 會計工作經驗分享

本書範例檔案可至以下連結下載：
http://books.gotop.com.tw/download/ACI032400

Excel 基礎操作

1.1 新增活頁簿

Excel 檔案又稱之為活頁簿（Book），可想見當初微軟設計這一套軟體時，把一個電腦檔案當作是一本筆記本，裡面一頁一頁的活頁紙，每一頁是一張座標方格紙座標，我們透過鍵盤在方格裡輸入內容，或者是文字數值、或者是函數公式，成為 Excel 資料處理和表格呈現的內容。

綜上所述，Excel 結構為活頁簿（Book）裡有工作表（Sheet）、工作表上有儲存格（Cell），因此本書第一章第一節這裡，便以活頁簿開始介紹，帶領讀者走進 Excel 的世界裡。

1. Excel 於 2007 年大改版之後，將常用指令以直覺的圖形化方式，分門別類置於上方功能區，而所有關於檔案的操作，都是在「檔案」頁籤中。

2. 於「檔案」頁籤中，可以看到「儲存檔案」、「另存新檔」、「開啟」、「最近」等檔案的操作指令。接下來以「另存新檔」為例，和各位讀者介紹 Excel 不同版本的檔案差異。

3 於「另存新檔」視窗中，將「存檔類型」下拉，可以看到 Excel 支援可儲存的檔案類型相當多，不過實務會看到用到的十之八九為「Excel 活頁簿」、「Excel 啟用巨集的活頁簿」、「Excel 97-2003 活頁簿」，因此在下個步驟以這類型檔案重點說明。

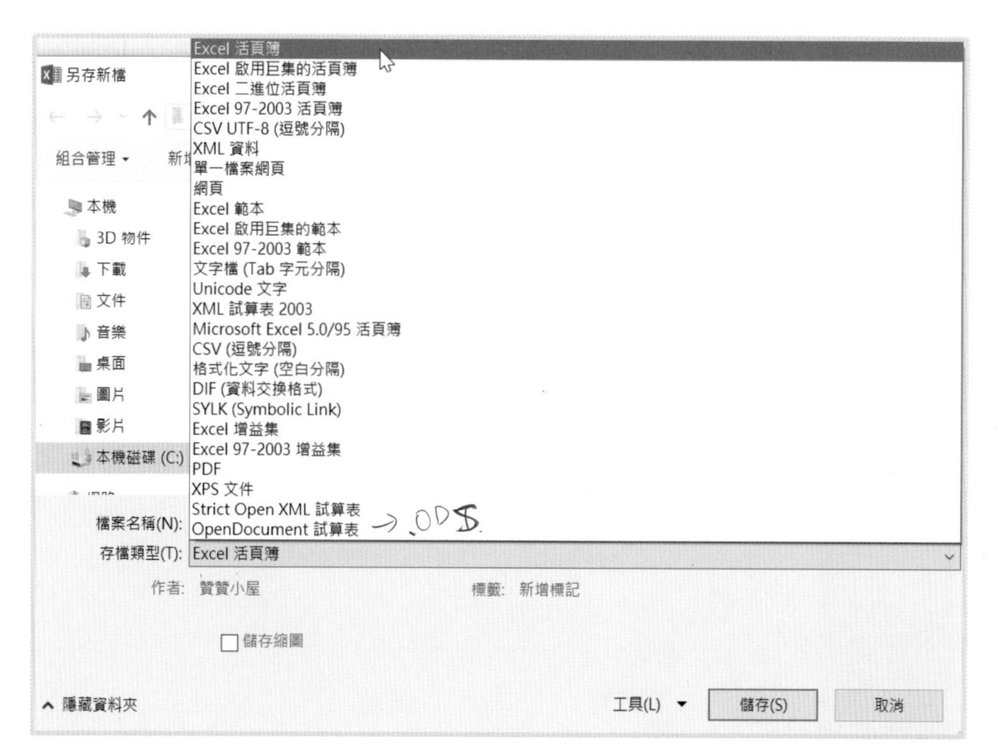

4 以下表簡單說明，「.xls」、「.xlsx」、「.xlsm」皆為試算表內容的 Excel 活頁簿檔案，其背後當然也有計算機較為複雜的結構差別，但對於一般 Excel 操作者，其實只要知道在實際使用時有何差異即可。在舊版本「.xls」最多只能有六萬多筆資料，依筆者工作經驗，真的有可能不夠用，不過到了「.xlsx」多達 100 萬列的工作表空間，在大部份工作表場合一定是夠用了。

副檔名	Office版本	主要特性
.xls	07-2003	65,536列、256欄（到IV）
.xlsx	2007以上	1,048,576列、16384欄（到XFD欄）
.xlsm	2007以上	巨集VBA程式必須儲存在此種檔案

5 除了操作原有檔案，建立新活頁簿（檔案）也是 Excel 基本動作。在「檔案」頁籤的「新增」群組中，通常會用到的當然是「空白活頁簿」，不過注意看的話，尚有「商務」、「個人」、「清單」等眾多精美的線上範本可供搜尋選擇。以會計人而言，可能會對「商務費用預算」感興趣。

6 範本「商務費用預算」。和大多數情況一樣，範本還是只能當作參考，不能直接拿來用，但即使如此，仍然很具有參考價值。一方面將 Office 範本依照自己情況修改，可以節省一些摸索和從零開始設定的時間；另方面觀摩 Office 範本是如何設置報表格式，可以讓自己的手工報表更加有專業模版的形象。

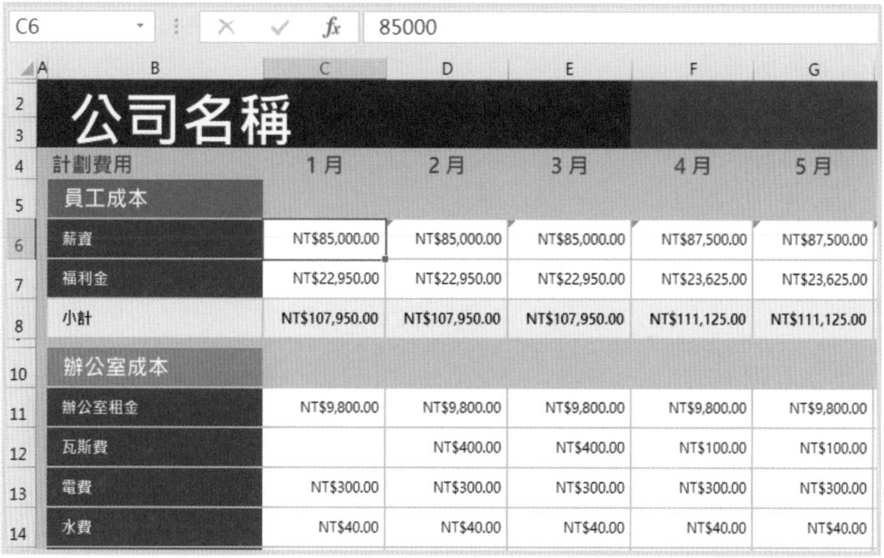

C6 | 85000

	B	C	D	E	F	G
2–3	公司名稱					
4	計劃費用	1月	2月	3月	4月	5月
5	員工成本					
6	薪資	NT$85,000.00	NT$85,000.00	NT$85,000.00	NT$87,500.00	NT$87,500.00
7	福利金	NT$22,950.00	NT$22,950.00	NT$22,950.00	NT$23,625.00	NT$23,625.00
8	小計	NT$107,950.00	NT$107,950.00	NT$107,950.00	NT$111,125.00	NT$111,125.00
10	辦公室成本					
11	辦公室租金	NT$9,800.00	NT$9,800.00	NT$9,800.00	NT$9,800.00	NT$9,800.00
12	瓦斯費		NT$400.00	NT$400.00	NT$100.00	NT$100.00
13	電費	NT$300.00	NT$300.00	NT$300.00	NT$300.00	NT$300.00
14	水費	NT$40.00	NT$40.00	NT$40.00	NT$40.00	NT$40.00

7. 本節主要分享 Excel 的檔案操作，最後和讀者介紹一個有關於檔案的函數：Cell。此函數用於取得儲存格資訊，在這裡是取得儲存格所屬的檔案資訊，所以第一參數設定為「"FILENAME"」，表示取得對象為檔案名稱，第二參數省略，因為毋須指定任何一個儲存格，得到是同樣的檔案資訊。如圖片所示，計算結果為資料夾路徑 + 檔案名稱 + 工作表標籤：「C:\Users\b88104069\Desktop\[0-1 Excel 活頁簿 .xlsx]7.Cell 函數」。

C:\Users\b88104069\Desktop\[0-1 Excel活頁簿.xlsx]7.Cell函數

函數引數

CELL

Info_type "FILENAME" = "FILENAME"

Reference = 參照位址

= 可變更的

傳回參照第一個儲存格 (依照工作表的讀取順序) 的資訊，如格式、位置及內容等。

Info_type 為一文字值，用以指定想要取得的儲存格資訊種類。

計算結果 = 可變更的

函數說明(H) 確定 取消

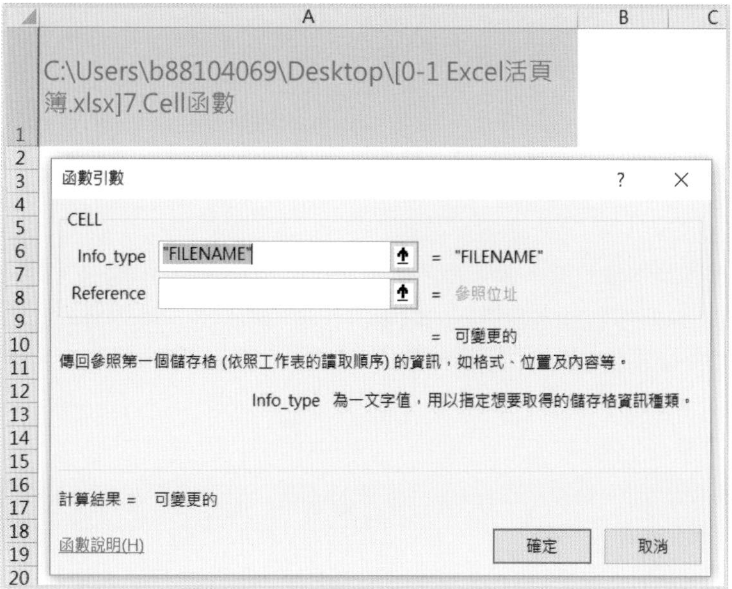

8 前面步驟 CELL 取得是完整的資訊，實務上有可能只需要單純的檔案名稱即可，這個可以借助 FIND 及 MID 等文字函數。首先找出「[」和「.xl」所在的字元位置，再以 MID 函數稍加調整取得中間的字串，便得到所屬的檔案名稱。最終完整公式為：「=MID(CELL("FILENAME"),FIND("[",CELL("FILENAME"))+1,FIND(".xl",CELL("FILENAME"))-FIND("[",CELL("FILENAME"))-1)」，雖然看起較為複雜，但其實拆解之後結構並不會太難。

B7 =MID(CELL("FILENAME"),FIND("[",CELL("FILENAME"))+1,FIND(".xl",CELL("FILENAME"))-FIND("[",CELL("FILENAME"))-1)

	A	B
1	函數公式	計算結果
2	=CELL("FILENAME")	C:\Users\b88104069\Desktop\[0-1 Excel活頁簿.xlsx]8.檔案名稱
3	=FIND("[",B2)	28
4	=FIND(".xl",B2)	41
5	=MID(B2,B3+1,B4-B3-1)	0-1 Excel活頁簿
6		
7	合併公式：	0-1 Excel活頁簿

Excel 成為職場必備的資料處理及分析的應用軟體，很多人只要開啟檔案，看到工作表上有一個一個方格子，在裡面輸入文字數值、做簡單的數學計算，便可以完成大部份任務，操作上相當簡便容易上手。

正因為太容易上手了，導致許多人忽略了 Excel 其實是功能強大的應用軟體，在開始使用之前，如果能花點時間，瞭解 Excel 基本操作環境和基本操作方法，對於工作開展有很大的效率提升。

所以在這裡作為本書的第一章，跟各位讀者介紹 Excel 的基本操作，第一節內容為 Excel 檔案，以此作為整本書最好的開場白。已經熟悉這一節內容的讀者，也希望把它當作是一個溫故而知新的起點，接下來一連串 Excel 學習精進的暖身活動。

1.2 工作表操作

如同前一節所言，所有工作表好像是活頁簿裡一張一張的座標方格紙，Excel 除了直接操作活頁簿（電腦檔案），當然也可以直接以工作表執行種種操作，例如將資料原封不動地移動或複製到另一個活頁簿，如同活頁紙撕下貼上一樣，相當地靈活方便，這一節具體分享 Excel 工作表的操作方法。

1. 同為 Office 軟體，Excel 和 Word 一樣有檢視模式，在工作表右下角有三種模式可供快速切換：「標準模式」、「整頁模式」、「分頁預覽」。大部份場合 Excel 都是在「標準模式」作業，不過在列印成紙本的時候，「分頁預覽」是個蠻方便的模式，可以看目前分頁狀況，還能直接手工調整分頁。

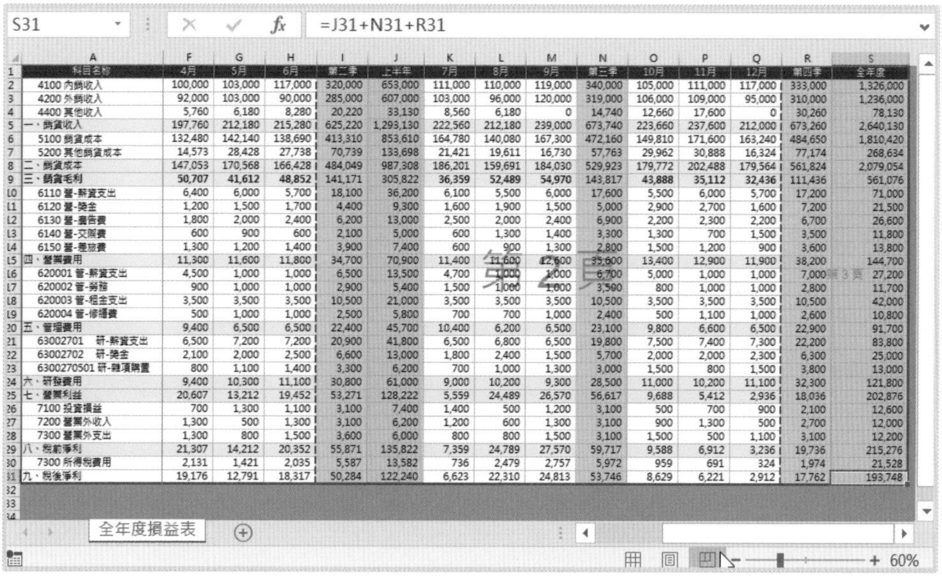

S31 =J31+N31+R31

	A	F	G	H	I	J	K	L	M	N	O	P	Q	R	S
1	科目名稱	4月	5月	6月	第二季	上半年	7月	8月	9月	第三季	10月	11月	12月	第四季	全年度
2	4100 內銷收入	100,000	103,000	117,000	320,000	653,000	111,000	110,000	119,000	340,000	105,000	111,000	117,000	333,000	1,326,000
3	4200 外銷收入	92,000	103,000	90,000	285,000	607,000	103,000	96,000	120,000	319,000	106,000	109,000	95,000	310,000	1,236,000
4	4400 其他收入	5,760	6,180	8,280	20,220	33,130	8,560	6,180	0	14,740	12,660	17,600	0	30,260	78,130
5	一、銷貨收入	197,760	212,180	215,280	625,220	1,293,130	222,560	212,180	239,000	673,740	223,660	237,600	212,000	673,260	2,640,130
6	5100 銷貨成本	132,480	142,140	138,690	413,310	853,610	164,780	140,080	167,300	472,160	149,810	171,600	163,240	484,650	1,810,420
7	5200 其他銷貨成本	14,573	28,428	27,738	70,739	133,698	21,421	19,611	16,730	57,763	29,962	30,888	16,324	77,174	268,634
8	二、銷貨成本	147,053	170,568	166,428	484,049	987,308	186,201	159,691	184,030	529,923	179,772	202,488	179,564	561,824	2,079,054
9	三、銷貨毛利	50,707	41,612	48,852	141,171	305,822	36,359	52,489	54,970	143,817	43,888	35,112	32,436	111,436	561,076
10	6110 營-薪資支出	6,400	6,000	5,700	18,100	36,200	6,100	5,500	6,000	17,600	5,500	6,000	5,700	17,200	71,000
11	6120 營-獎金	1,200	1,500	1,700	4,400	9,300	1,600	1,900	1,500	5,000	2,900	2,700	1,600	7,200	21,500
12	6130 營-廣告費	1,800	2,000	2,400	6,200	13,000	2,500	2,000	2,400	6,900	2,200	2,300	2,200	6,700	26,600
13	6140 營-交際費	600	900	600	2,100	5,000	600	1,300	1,400	3,300	1,300	700	1,500	3,500	11,800
14	6150 營-差旅費	1,300	1,200	1,400	3,900	7,400	600	900	1,300	2,800	1,500	1,200	900	3,600	13,800
15	四、營業費用	11,300	11,600	11,800	34,700	70,900	11,400	11,600	12,600	35,600	13,400	12,900	11,900	38,200	144,700
16	620001 管-薪資支出	4,500	1,000	1,000	6,500	13,500	4,700	1,000	1,000	6,700	5,000	1,000	1,000	7,000	27,200
17	620002 管-勞務	900	1,000	1,000	2,900	5,400	1,500	1,000	1,000	3,500	800	1,000	1,000	2,800	11,700
18	620003 管-租金支出	3,500	3,500	3,500	10,500	21,000	3,500	3,500	3,500	10,500	3,500	3,500	3,500	10,500	42,000
19	620004 管-修繕費	500	1,000	1,000	2,500	5,800	700	700	1,000	2,400	500	1,100	1,000	2,600	10,800
20	五、管理費用	9,400	6,500	6,500	22,400	45,700	10,400	6,200	6,500	23,100	9,800	6,600	6,500	22,900	91,700
21	63002701 研-薪資支出	6,500	7,200	7,200	20,900	41,800	6,500	6,800	6,500	19,800	7,500	7,400	7,300	22,200	83,800
22	63002702 研-獎金	2,100	2,000	2,500	6,600	13,000	1,800	2,400	1,500	5,700	2,000	2,000	2,300	6,300	25,000
23	6300270501 研-雜項購置	800	1,100	1,400	3,300	6,200	700	1,000	1,300	3,000	1,500	800	1,500	3,800	13,000
24	六、研發費用	9,400	10,300	11,100	30,800	61,000	9,000	10,200	9,300	28,500	11,000	10,200	11,100	32,300	121,800
25	七、營業利益	20,607	13,212	19,452	53,271	128,222	5,559	24,489	26,570	56,617	9,688	5,412	2,936	18,036	202,876
26	7100 投資損益	700	1,300	1,100	3,100	7,400	1,400	500	1,200	3,100	500	700	900	2,100	12,600
27	7200 營業外收入	1,300	500	1,300	3,100	6,200	1,200	600	1,300	3,100	900	1,300	500	2,700	12,000
28	7300 營業外支出	1,300	800	1,500	3,600	6,000	800	800	1,500	3,100	1,500	500	1,100	3,100	12,200
29	八、稅前淨利	21,307	14,212	20,352	55,871	135,822	7,359	24,789	27,570	59,717	9,588	6,912	3,236	19,736	215,276
30	7300 所得稅費用	2,131	1,421	2,035	5,587	13,582	736	2,479	2,757	5,972	959	691	324	1,974	21,528
31	九、稅後淨利	19,176	12,791	18,317	50,284	122,240	6,623	22,310	24,813	53,746	8,629	6,221	2,912	17,762	193,748

第 2 頁　第 3 頁

全年度損益表　60%

2 工作表右下角除了檢視模式，旁邊還有快速調整「顯示比例」的工具，可以滑鼠游標在水平軸上點擊調整，也可以點百分比符號，呼叫視窗精準設定「縮放比例」。

3 當工作表很多的時候，工作表左下方除了有左右移動的便捷工具，在工具上使用萬能的滑鼠右鍵，即會出現活頁簿目前的工作表清單。

4 在工作表標籤上滑鼠右鍵，有很多工作表相關的快捷選項，讀者可實際操作看看，應該不會有太大的問題，這裡重點介紹其中的「移動或複製」。

5 如圖所示，可將目前工作表的所有內容，原封不動移到本活頁簿其他地方、或者移到目前已開啟的其他活頁簿、甚至能直接移動到「(新活頁簿)」。依狀況看是否有保留原工作表的需求，可以考慮勾選「建立複本」，以便備份。

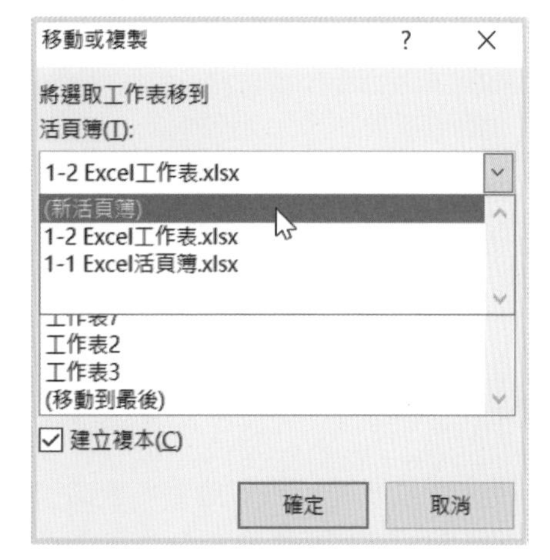

6 除了常見的移動和複製外，和儲存格一樣，工作表也可以隱藏和取消隱藏，操作方法直覺地透過萬能右鍵即可，也就是本節第四步驟圖示中的「隱藏」。如果想透過上方功能區執行，路徑是在「常用」→「儲存格」→「格式」→「可見度」→「隱藏及取消隱藏」中，實際操作過後，讀者應該可以理解還是直接萬能右鍵好了。

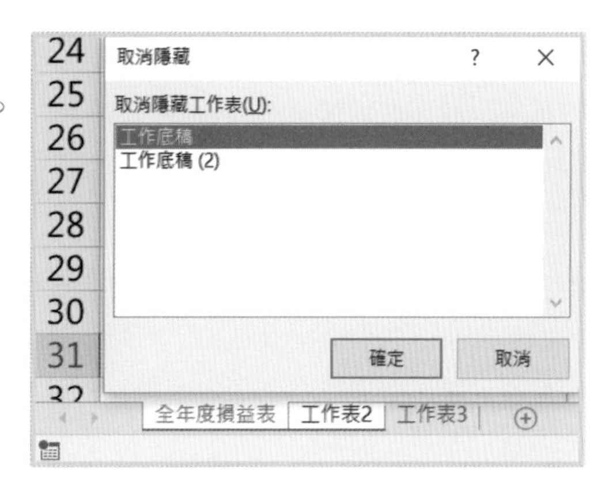

從本步驟的圖示可以看出，範例檔案其實有兩個工作表被隱藏起來了，這是筆者在設計範例時的工作底稿，像這種不必呈現、但又希望保留的資料，便很適合工作表隱藏指令。

7 有時候想同時操作多個工作表，除了按住「Ctrl」鍵一個一個選取多張工作表外，先選取左邊一張工作表，按住 Shift 替換鍵，再選取右邊任個一個工作表，Excel 即會批量選取兩頭中間的工作表，在需要同時操作大量工作表時，相當方便。

在滑鼠右鍵的快捷選單中，最下面有「選取所有工作表」和「取消工作表群組設定」，是批次操作工作表的指令，讀者可嘗試看看，除了執行移動、複製、隱藏之外，如果要列印多張工作表，先批次選取也可以大大節省作業時間。

當工作表儲存格有連結到其他工作表的公式參照時，移動或複製此工作表到其他活頁簿，Excel 會自動幫忙將原本公式轉換成跨活頁簿的連結參照。依個人經驗，像這樣參照自其他活頁簿檔案的公式，有可能目前電腦沒有開啟該檔案、有可能原來檔案已被刪除、還有可能一開始就是取得別人檔案，無法連結到別人電腦中的檔案，諸如此類情況，都會導致在開啟檔案時，Excel 嘗試更新資料來源，但是 Excel 顯然沒有辦法去取得連結檔案的資料，在過程中我們只能等待 Excel，時間就耗費了，而其實我們往往不需要 Excel 更新外部資料來源。

基於上述原因，筆者習慣是不會有跨活頁簿的公式連結，其實真有需要的話，直接移動或複製工作表過來就好了。然而有些時候，可能會收到別人的檔案，裡頭有設定外部連結，想避免這方面的困擾，可以切點外部連結，或者直接到 Excel 選項中的信任中心，在根本上設定不更新外部來源資料，以上經驗供各位讀者參考。

1.3 儲存格編輯

儲存格為 Excel 主要編輯區域，不但是輸入內容，同時也是呈現內容，不但可以輸入文字數值、還能設計函數公式，因此想活學妙用 Excel，瞭解如何編輯儲存格相當關鍵。

筆者自從《會計人的 Excel 小教室》出版以來，有幸固定和兩三個主辦單位合作開課，於實體教室分享 Excel 使用心得，在一次又一次教學經驗中，逐漸整理出幾項 Excel 儲存格編輯的觀念或小技巧，這些觀念或技巧不像函數或指令能完成任務，但卻可以普遍提高完成任務的效率，以下具體介紹。

1. 儲存格輸入內容大致可分為五個類型，特別注意到在一開始輸入英文的單引號「'」，表示告訴 Excel 在輸入文字，數值的「3」和文字的「3」對於 Excel 是不同型態的東西，首先，Excel 會有個綠色三角形提醒這個「3」是文字，再者函數公式在執行數學計算時，會將文字資料忽略，所以「=SUM(D3:D4)」計算結果為「3」。

D6 =SUM(D3:D4)

	A	B	C	D
1	序號	儲存格編輯	類型	工作表呈現
2	1	3	數值	3
3	2	'3	文字	3
4	3	=A4	參照	3
5	4	=1*3	計算	3
6	5	=SUM(C3:C4)	公式(函數)	3

2 如同圖示的實務範例，往往在輸入員工工號、特定日期格式時，會需要用到純粹文字輸入，另外加一撇文字化也可以應用於函數公式設計，快速組合鍵「Ctrl+`」同樣可以於工作表顯示公式。

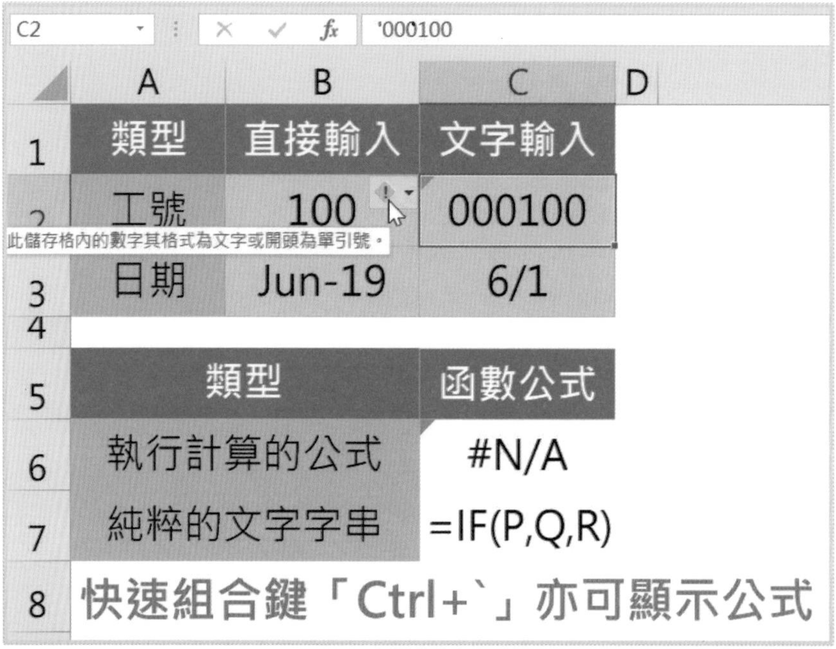

C2   fx '000100

	A	B	C	D
1	類型	直接輸入	文字輸入	
2	工號	100	000100	
3	日期	Jun-19	6/1	
4				
5	類型		函數公式	
6	執行計算的公式		#N/A	
7	純粹的文字字串		=IF(P,Q,R)	
8	快速組合鍵「Ctrl+`」亦可顯示公式			

此儲存格內的數字其格式為文字或開頭為單引號。

3 函數輸入的方法皆是：「= 函數名稱 (參數 1, 參數 2,⋯⋯)」，不同函數會有不同數量的參數，有些參數 Excel 會有預設值，如果沒有特別設定的話，Excel 即以預設值計算。在設計函數公式時，輸入到「= 函數名稱 (」即可點選資料編輯左邊的「fx」，Excel 即會跑出函數引數視窗，在這裡可以看函數作用和各參數的說明，還可以直接輸入各參數值或引用儲存格參照，視窗左下角還能連結到微軟說明文件。

另外再補充一點，對於已經輸入好的公式，只要滑鼠游標在資料編輯點擊選取適當的公式範圍，再按「fx」，同樣可以叫出函數引數視窗，由於可見函數引數視窗是設計瞭解函數公式時相當便利的工具。

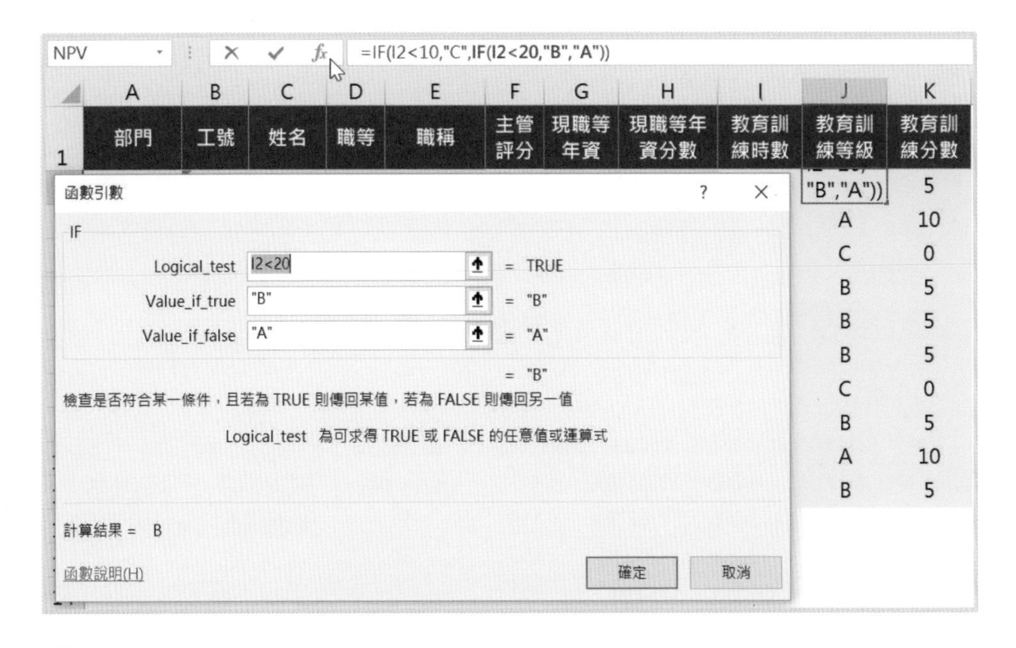

4 延續上一步驟，Excel 可以在一個公式中同時使用兩個以上的相同或不相同的函數，這個在 Excel 說明文件中稱之為巢狀公式。如下圖例便是一個兩層 IF 函數套嵌的組合公式，善用巢狀公式是成為 Excel 函數達人的關鍵。

=IF(I2<10,"C",IF(I2<20,"B","A"))

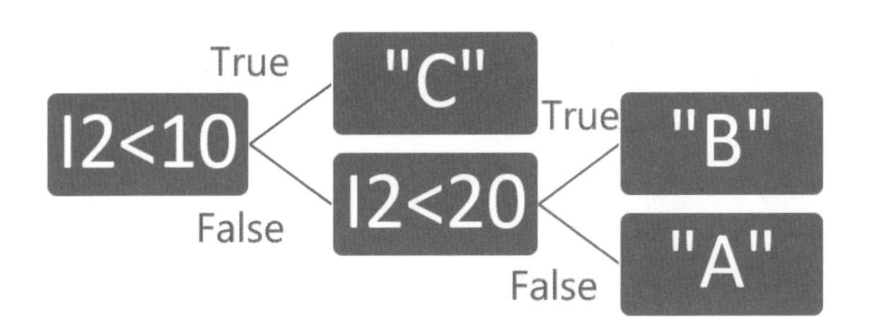

5 工作上常常需要在報表一整欄或一整列套用相同結構的公式，於第一個儲存格設置好公式之後，將滑鼠游標移到儲存格右下角，游標圖示會從白粗十字架變成小黑十字架，此時按住拖曳或者連按兩下，Excel 會自動延伸複製公式，這個小技巧在實務上經常使用到。另外公式在延伸複製的時候，預設儲存格參照會自動同方向更新，例如 D2 往下複製會變成 D3、D4 等，有些情況不希望參照更新，可以在列號或欄號前面加「$」，告訴 Excel 這個要固定，在資料編輯列中選取參照位址，快速鍵 F4 即會加上固定參照符號。

NPV　=$I$3-D2

	A	B	C	D	E	F	G	H	I
1	客戶	帳款	應收金額	應收款日	逾期天數1	逾期天數2		函數	日期
2	甲	AR005	1,000	18/01/01	441	=$I$3-D2		TODAY函數	2019/3/18
3	甲	AR006	2,000	18/02/01	410	58		DATE函數	2018/3/31
4	甲	AR007	3,000	18/03/01	382	30			
5	甲	AR008	4,000	18/04/01	351	(1)			
6	乙	AR009	1,000	18/05/01	321	(31)			
7	乙	AR010	2,000	18/06/01	290	(62)			
8	乙	AR011	3,000	18/07/01	260	(92)			
9	乙	AR012	4,000	18/08/01	229	(123)			
10									

6 無論在資料編輯列設計函數公式，或者如圖所示在名稱管理員設計動態引用範圍，有時候 Excel 會弄不清楚操作者是要移動儲存格參照還是移動目前輸入位置，此時可以用快速鍵 F2 切換編輯模式，讀者如果有遇到像這樣的情況，會發現 F2 是跟救星一樣的快速鍵。

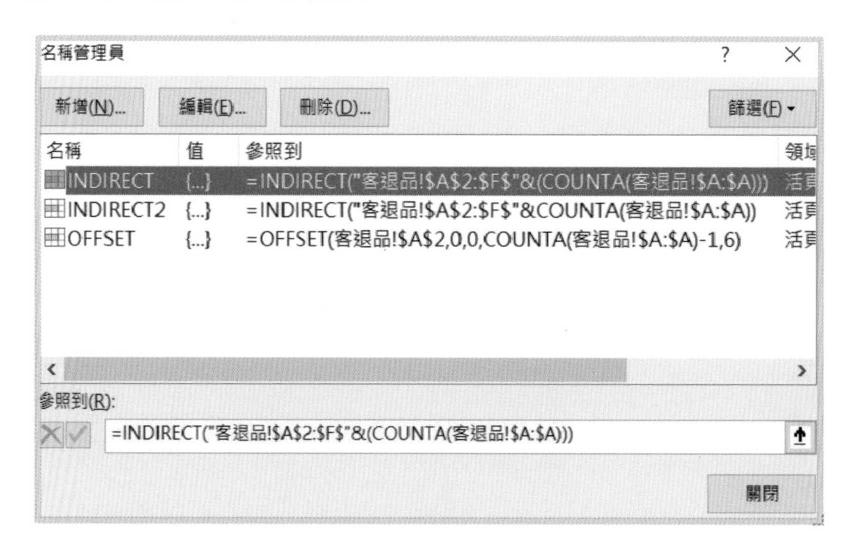

7. 最後分享一個實務小技巧，公司 ERP 導出來的報表常常會有一行一行的空白列，此時可以先選取整個報表的最後一列，如圖便是選取 A15 到 F15，然後按快速組合鍵「Ctrl+Shift+Home」，選取範圍便會向上延伸到第一列，變成是 A1 到 F15 整個報表範圍，接下來就可以執行諸如篩選、排序、樞紐分析表等種種 Excel 資料處理分析的指令。

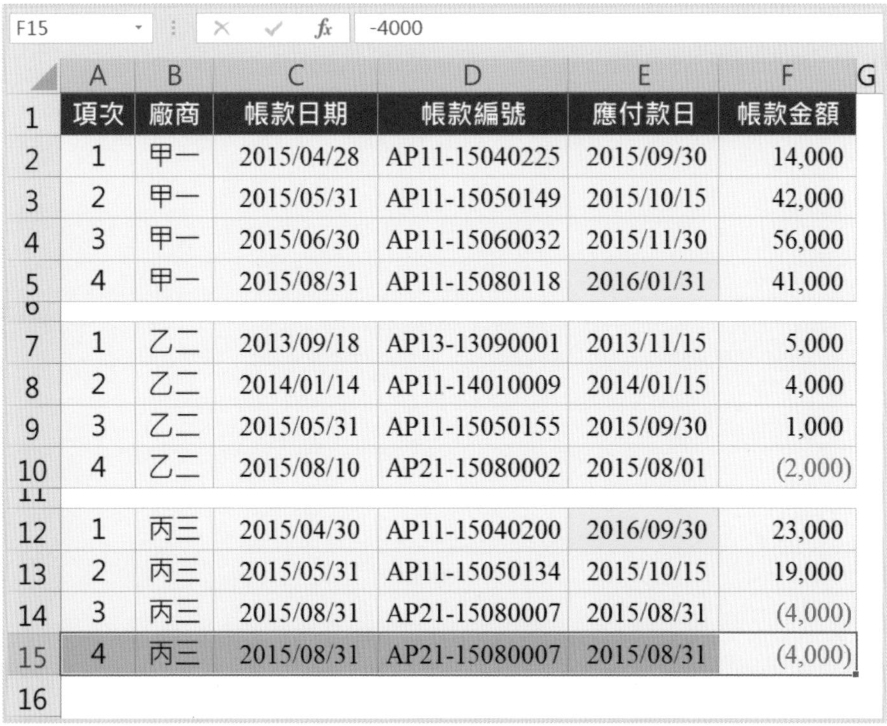

F15 | fx | -4000

	A	B	C	D	E	F	G
1	項次	廠商	帳款日期	帳款編號	應付款日	帳款金額	
2	1	甲一	2015/04/28	AP11-15040225	2015/09/30	14,000	
3	2	甲一	2015/05/31	AP11-15050149	2015/10/15	42,000	
4	3	甲一	2015/06/30	AP11-15060032	2015/11/30	56,000	
5	4	甲一	2015/08/31	AP11-15080118	2016/01/31	41,000	
6							
7	1	乙二	2013/09/18	AP13-13090001	2013/11/15	5,000	
8	2	乙二	2014/01/14	AP11-14010009	2014/01/15	4,000	
9	3	乙二	2015/05/31	AP11-15050155	2015/09/30	1,000	
10	4	乙二	2015/08/10	AP21-15080002	2015/08/01	(2,000)	
11							
12	1	丙三	2015/04/30	AP11-15040200	2016/09/30	23,000	
13	2	丙三	2015/05/31	AP11-15050134	2015/10/15	19,000	
14	3	丙三	2015/08/31	AP21-15080007	2015/08/31	(4,000)	
15	4	丙三	2015/08/31	AP21-15080007	2015/08/31	(4,000)	
16							

儲存格編輯為 Excel 最基本的操作，但往往是提昇效率的關鍵，因為每一次的資料處理分析都是以儲存格為基本單位，而 Excel 在每個小細節都有一些輔助工具或者輔助功能，如同這節範例所示，強化每個小細節，無形之中可大大優化 Excel 工作效率。學習 Excel 有兩個重點，一是有效完成工作任務，一是有效率執行任務，這是贊贊小屋著作的原始宗旨，也是贊贊小屋在每一堂課程的設計方向。這一節所提示的幾個點不一定夠完整，各位讀者於工作操作 Excel 的過程中，可挖掘屬於自己的小技巧小秘方。

1.4 上方功能區

Excel 於 2007 年改版，配合 Windows Vista 創新引進圖形化介面的上方功能區，無論讀者是否經歷過這次大改版，應該都能體會到這一次改變帶來了的便利性。不過微軟巧思不僅於此，除了以圖形化方式將指令分門別類呈現之外，也許有讀者忽略掉了，Excel 還可以客製化自定義上方功能區，這一節具體分享。

1. 客製化路徑位於「Excel 選項」中的「自訂功能區」。首先在視窗右邊是「由此選擇命令」，將橫條選單下拉，有相當多分類：「常用命令」，Excel 幫忙選出那些最常用的命令；「不在功能區的命令」，在這裡可以看到原來還有這麼多上方功能區沒有的命令；「所有命令」，在這裡會發現原來 Excel 命令這麼多；而下圖所示的「所有索引標籤」，應該是對大多數人最好用的一個分類，因為它就是把我們熟悉的上方功能區以清單方式呈現。

2. 視窗右邊為「自訂功能區」，同樣也可以下拉，但其實預設的「主要索引標籤」就夠用了，可以看到它也是將上方功能區呈現為清單，在此可以將左邊的命令「新增」或「移除」到右邊的實際上方功能區中，也可以在最右邊以「上移」和

「下移」調整各個命令的位置。注意到真的在新增時，可能反灰無法執行，會跳出「命令必須新增至自訂群組……」訊息，關於此點後續步驟會更為清楚。

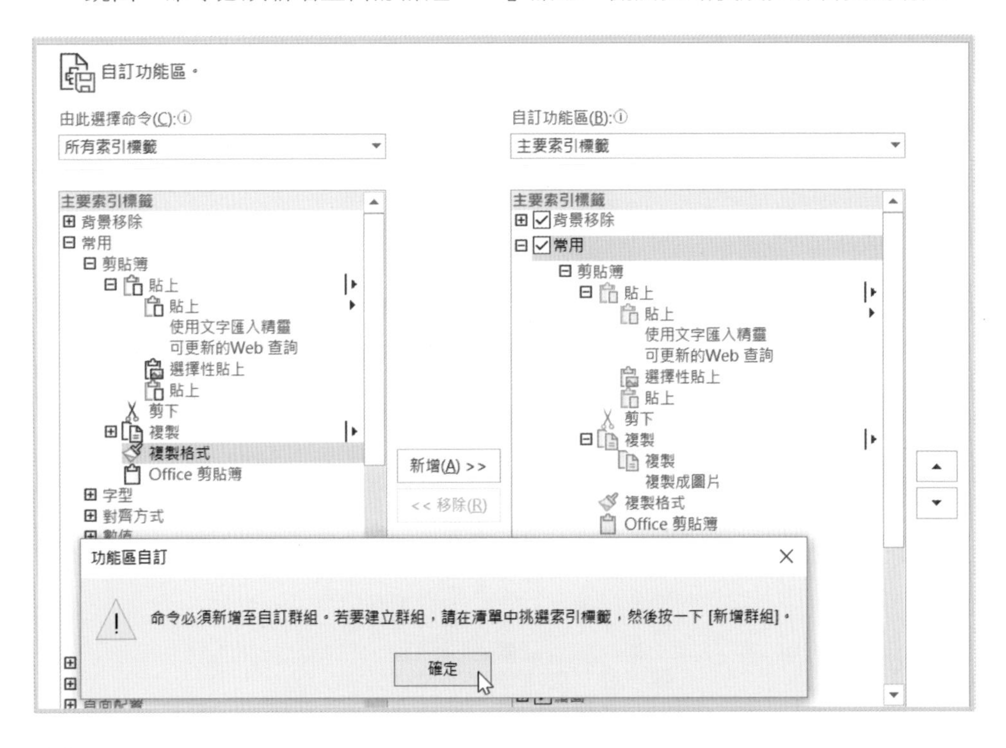

③ 點選下方的「新增索引標籤」，右邊即會新增一個新的標籤，選取此標籤後，再點選下方的「重新命名」，可以更改「顯示名稱」。

重新命名
顯示名稱: 新增索引標籤
確定 取消
新增(A) >>
<< 移除(R)
編輯
新增索引標籤 (自訂)
新增群組 (自訂)
插入
繪圖
頁面配置
公式
資料
校閱
新增索引標籤(W) 新增群組(N) 重新命名(M)...
自訂: 重設(E) ▾
匯入/匯出(P) ▾

4 再選取標籤裡的群組，同樣可以重新命名，此時已經可以把左邊的「複製格式」新增到「新增索引標籤 (自訂)」中了，到這裡應該會比較清楚第二步驟的提示信息。

5 藉這個機會和讀者分享贊贊小屋的自訂功能區，有以巨集方式的自定義調色盤，也有個人較為常用的 Excel 指令。從圖片上同時可看到下面一排的快速存取工具列，它等於是迷你版的上方功能區，其客製方法和上方功能區如出一徹，讀者有興趣可以到本節第一步驟圖片中的「快速存取工具列」，在這一節的基礎上自行嘗試，應該不致於有太大的困難。

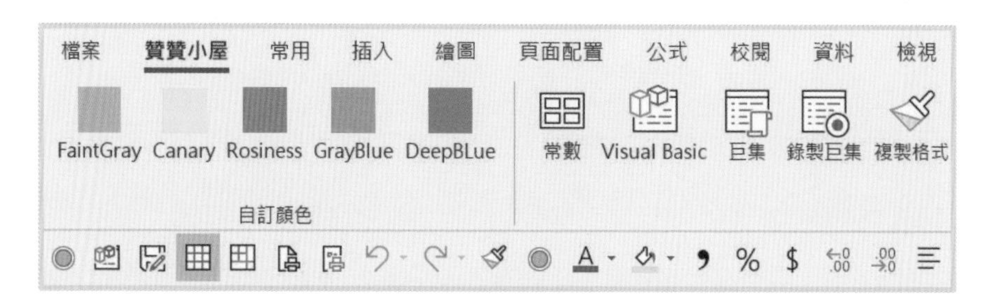

6 花了點時間客製好的自訂功能區，如果因為換電腦、或者新公司的全新電腦就要重新設定顯然很麻煩。針對這一點，Excel 在「自訂功能區」的右下方有個「自訂：」，兩個指令「重設」及「匯入 / 匯出」,「重設」是把 Excel 上方功能回復到原始設定值，亦即沒有任何自訂的設定，「匯入 / 匯出」則是可以將客製化好的自訂功能區匯出備份。

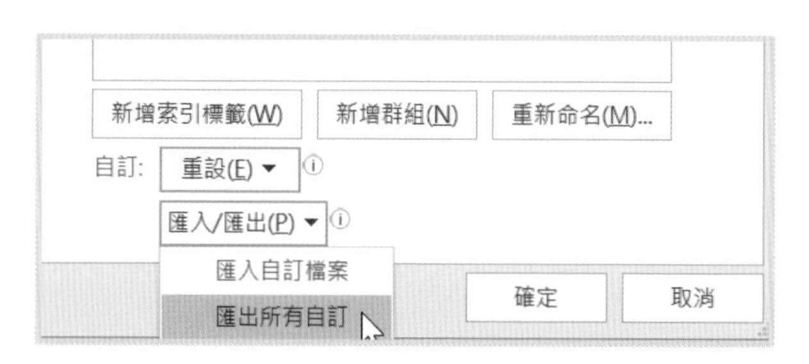

7 在上個步驟點選「匯出所有自訂」後，會跳出很熟悉的 Windows 資料夾視窗，於此便是將自訂功能區匯出備份為一個電腦檔案，就好像瀏覽器的我的最愛備份一樣，在有需要時可以再把它再匯入 Excel 裡面。

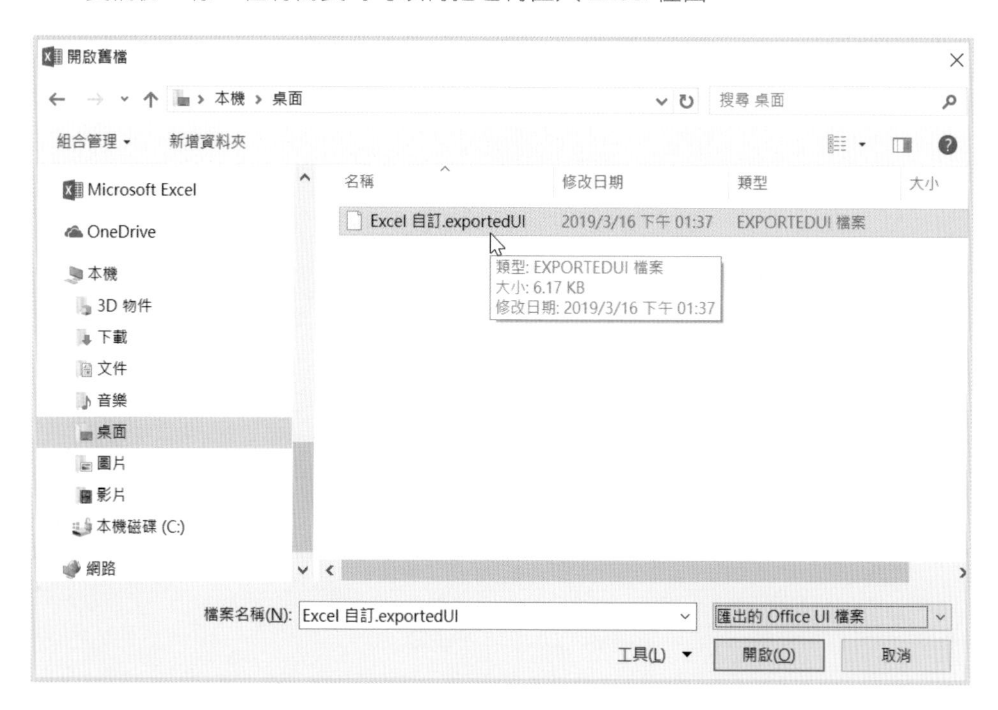

在這邊文章第五步驟已經看到，上方功能區可以完全是自製的指令（命令），這些都是透過第一步驟的巨集新增而成的。文章最後和各位讀者補充，所謂的巨集由兩種方式組成，第一個是將所操作的過程錄製起來，接著以指令方式播放，可以想見在常常要重複執行好幾個步驟的情況，錄製巨集指令是非常好用的工具，另外 Excel 還可以使用外掛的 VBA 編輯環境，從無到有編寫出來的程式，作為 Excel 的操作指令。讀者有興趣可以在這方面繼續深研，贊贊小屋後續也會有相關的文章著作分享。

1.5 快速組合鍵

記得以前看過電競比賽裡面的游戲高手、或者是網咖裡的素人高手，他們左手敲鍵盤、右手拖滑鼠，左右手搭配非常巧妙，呈現在電腦螢幕上的遊戲進展非常快速。在 Excel 操作的時候，如果能左右手並用，一樣可以完成高效率的操作，這中間關鍵在於上方功能區、快速存取工具列、快速組合鍵的完美搭配，上一節分享過上方功能區和快速存取工具列，這一節和讀者分享 Excel 有哪些快速組合鍵可以幫助提昇操作效率。

1. 首先，學 Excel 不求人，因為 1993 年的 3.0 版本開始至今超過 20 年，Excel 不斷改版升級，不僅操作上非常容易上手，更完善了強大豐富的線上說明文件庫。以快速組合鍵來說，Office 協助工具提供了相當完整的介紹：https://support.office.com/zh-tw/article/Windows- 版 -Excel- 中的鍵盤快速鍵 -1798d9d5-842a-42b8-9c99-9b7213f0040f（縮址：https://bit.ly/2UYzW9O），本節主要以此文件輔助說明，同時分享筆者個人經驗心得。

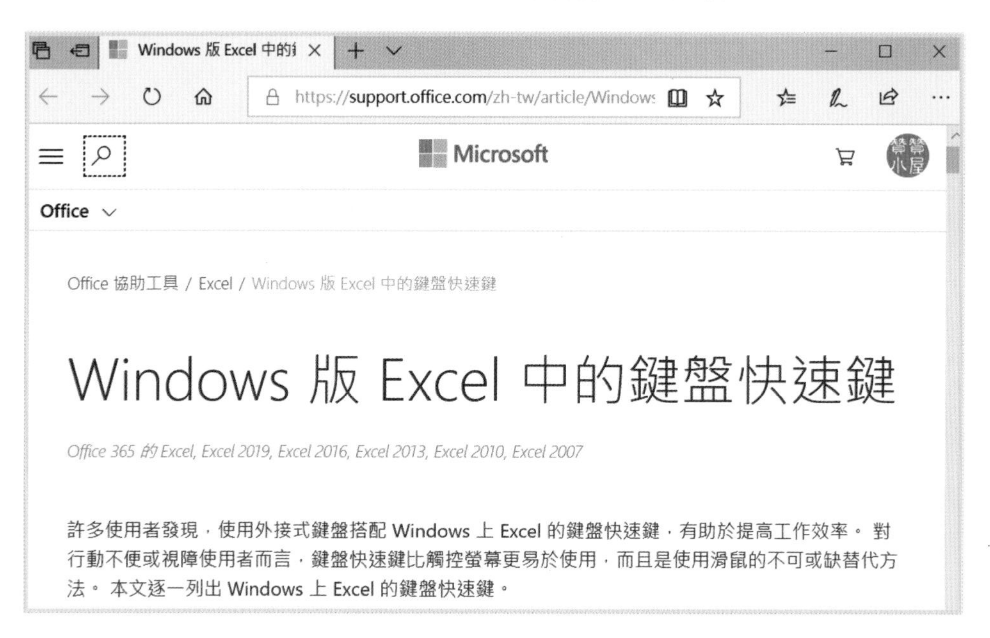

2. 以鍵盤存取功能區，微軟在此介紹只要按下鍵盤的「Alt」鍵，上方功能區出現黑底白字的英文和數字浮窗，此時按下相對應的鍵盤，便是鍵盤方式執行上方功能區指令。這個由於上方功能區圖形化和客製化設置，其實滑鼠點選已是非常便利，筆者較少用到此功能，但在特殊場合還是有可能發揮作用，供讀者參考。

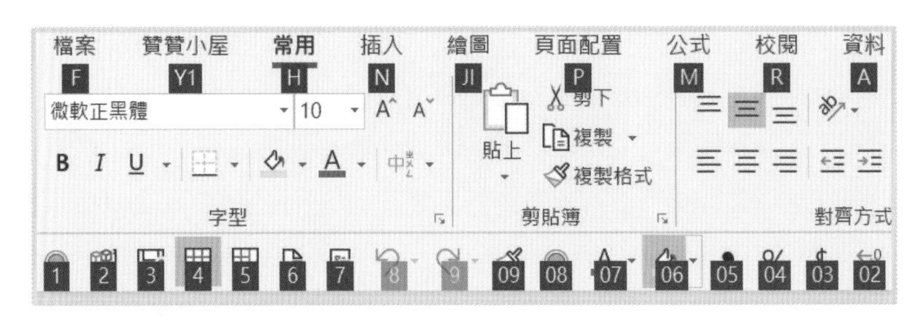

3. 上一節提到 Office 是不斷在改版，有些舊指示已經不在上方功能區，甚至有可能在 Excel 選項中的所有命令也找不到，微軟在文件提到「按 Alt，然後按 E（編輯）、V（檢視）、I（插入）等任一舊版功能表鍵。畫面上會彈出一個方塊，告知您使用的是舊版 Microsoft Office 的便捷鍵」，讀者有興趣可以嘗試看看。在這裡筆者表格列出一些舊版的 Excel 指令，供讀者參考，其中特別將「Alt+D+P」標黃色，這命令會出現舊版的樞紐分析表精靈，它雖然是舊版，但有個新版沒有提供的多張工作表彙總產生樞紐分析表，有些時候蠻好用的。

舊版快速鍵是否仍能運作？

快速鍵	功能
Alt+D+B	小計
Alt+D+L	資料驗證
Alt+D+M	合併彙算
Alt+D+P	樞紐分析表/圖精靈
Alt+D+S	排序
Alt+D+T	運算列表
Alt+E+B	剪貼簿
Alt+E+D	刪除
Alt+E+E	取代
Alt+E+F	尋找
Alt+E+G	到
Alt+E+L	刪除當前工作表
Alt+E+M	移動或複製工作表
Alt+E+R	刪除工作表
Alt+E+T	剪下
Alt+E+U	復原

快速鍵	功能
Alt+E+V	選擇性貼上
Alt+I+B	座標
Alt+I+C	插入欄
Alt+I+E	插入
Alt+I+F	插入函數
Alt+I+H	插入圖表
Alt+I+I	插入超連結
Alt+I+M	插入附註
Alt+I+O	物件
Alt+I+R	插入列
Alt+I+S	符號
Alt+I+W	插入工作表
Alt+O+A	自動套用格式
Alt+O+D	設定格式化的條件規則
Alt+O+E	設定儲存格格式
Alt+O+H	加R重新命名工作表

快速鍵	功能
Alt+O+S	樣式
Alt+T+A	自動校正
Alt+T+B	共用活頁簿
Alt+T+E	分析藍本管理員
Alt+T+G	目標搜尋
Alt+T+I	增益集
Alt+T+K	錯誤檢查
Alt+T+O	Excel選項
Alt+T+R	參考資料
Alt+T+S	拼字檢查
Alt+V+F	刪除整頁
Alt+V+H	頁首
Alt+V+P	分頁預覽
Alt+V+U	全螢幕
Alt+V+V	自訂檢視模式
Alt+V+Z	顯示比例

補充一下，新版 Excel 把這項功能拿掉，也許不是因為沒有工作表彙總的需求，而是 Excel 已經提供更強大的工具，例如合併彙算指令。

4. 接下來是 Ctrl 系列的組合快速鍵，筆者較習慣稱之為快速組合鍵，這可以說是 Excel 重點發展的快速鍵，搭配數字或英文按鍵可執行相當多的指令。在此分享筆者心得，有些快速組合鍵如「Ctrl+X（剪下）」「Ctrl+C（複製）」「Ctrl+V（貼上）」，因為在實務上常常用到、在鍵盤也很好操作，所以筆者最常用到這項操作。有些快速組合鍵如「Ctrl+N（New）（開啟新檔）」、「Ctrl+F（Find）（尋找）」則是容易記憶，等到要用的時候總是順手按出，至於其他眾多的組合快速鍵，也許直接滑鼠點選執行即可。

Ctrl 組合快速鍵

按鍵	描述
Ctrl+PgDn	從左到右，在工作表索引標籤之間切換。
Ctrl+PgUp	從右到左，在工作表索引標籤之間切換。
Ctrl+Shift+&	套用外框至選定儲存格。
Ctrl+Shift_	移除選定儲存格的外框。

5. Windows 傳統的功能鍵，Excel 也沒有缺席，從 F1 到 F12 各有相對應的快速指令或作用，有些特殊作用相當實用，例如 F1 的說明、F2 的轉換資料編輯列或函數公式的輸入模式、F4 的重複執行。同樣建議讀者也從頭到尾瀏覽一遍，每個人 Excel 操作習慣不同、工作任務不同，筆者有自己的偏好，不同讀者也許有不同偏好。

功能鍵

按鍵	描述
F1	顯示 [Excel 說明] 工作窗格。 Ctrl+F1 會顯示或隱藏功能區。 Alt+F1 會建立目前資料範圍的內嵌圖表。 Alt+Shift+F1 會插入新的工作表。
F2	編輯作用儲存格，並將插入點置於儲存格內容結尾。 如果已關閉該儲存格的編輯，也可以將插入點移至資料編輯列。 Shift+F2 會新增或編輯儲存格註解。 Ctrl+F2 會在 Backstage 檢視中的 [列印] 索引標籤上，顯示預覽列印區域。

6 最後是「其他實用的快速鍵」，這個網頁文件從頭看到尾，可以感受微軟的用心，也可以感受到 Excel 確實無愧為職場資料處理之最好用工具。

其他實用的快速鍵

按鍵	描述
Alt	顯示功能區上的 KeyTip (新版快速鍵)。 例如， Alt，W，P 會將工作表切換為整頁模式。 Alt，W，L 會將工作表切換為標準模式。 Alt、W、I 會將工作表切換為分頁預覽檢視。
方向鍵	在工作表中往上、下、左或右移動一個儲存格。 Ctrl+方向鍵會移到工作表中目前 資料區域 的邊緣。 Shift+方向鍵會逐格延伸儲存格的選取範圍。

7. 文章最後作個整理補充，除了 Ctrl 和 Alt 之外，Excel 中的 Shift 轉換功能鍵在很多場合發揮意想不到的妙用，以下整理出九個實用小技巧。關於這九個技巧，讀者有興趣可觀看筆者與本書同名的 YouTube 頻道影片：https://youtu.be/hlFqRSRmusM，因為文章截圖和文字敘述難免有所限制，像這樣的技巧分享反而是用影片呈現較有效率。讀者如果覺得本書有所幫助，相信 YouTube 頻道影片同樣也能幫得上忙。

Shift功能鍵的九個妙用
1.左上右下選取表格範圍
2.連點兩下向下延伸
3.一整欄一整列乾坤大挪移
4.一次插入多個空白欄或列
5.「Shift+F2」快速插入註解
6.左邊右邊批量選取工作表
7.一鍵批量關閉活頁簿
8.「插入」→「圖例」繪製正方形、圓形
9.十字架式移動圖形（水平或垂直）

如同這節文章所見，Excel 提供繁多的快速組合鍵，礙於篇幅限制，在此只能畫龍點睛提出幾個常用實用的快速組合鍵，建議讀者自己再進一步瞭解。同樣觀念延伸，Excel 的指令和函數也是相當之多，即使贊贊小屋寫了兩三本 Excel 書籍，仍然覺得還有些東西值得分享。對此以這節文章作兩點補充，一方面，那樣多的快速組合鍵可能就十分之一符合自己需要，另一方面，真的挖掘出來的組合鍵又確實快速提升了工作效率。所以贊贊小屋一直保持好奇心和開放態度，持續開拓 Excel 的世界，不僅僅是為了著作講課，也是為了踏實地提升自我的工作效率，於此提供給讀者參考。

MEMO

Excel 基礎應用

2.1 自訂快速存取工具列

Excel 每次改版，除了增加便捷的功能選項，也會增加圖形化界面，例如像公式這個功能模組，當年我畢業剛工作時，它還是 100% 大綱式文字選項，到現在公司使用 2007 版，看起來是很漂亮的圖形化介面，一整個賞心悅目。不過，儘管再怎麼改版，終究是把所有程式分門別類，依照微軟自己的官方邏輯歸在一起，然而每個人 Excel 操作習慣不同，總有自己最偏愛的方式，如果能將自己常用命令擺在顯眼的地方，操作起來才會得心應手，在此分享具體作法：

1. 從圖片可以看出來，Excel 將主要功能分成八大塊：檔案、常用、插入、版面配置、公式、資料、校閱、檢視。

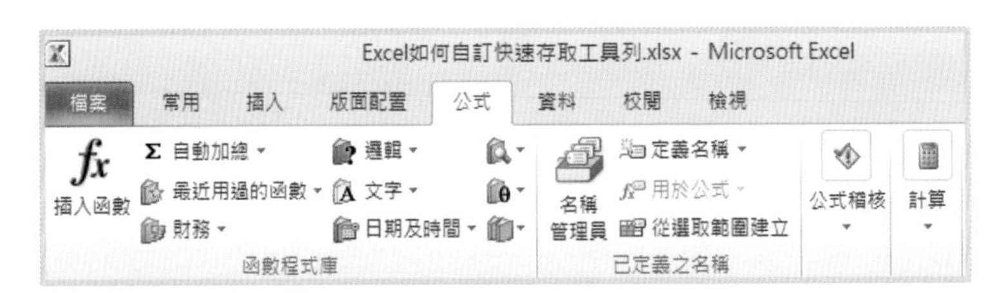

2. 仔細看上方的工具列右邊，有個向下的箭頭，點選之後，跳出「自訂快速存取工具列」視窗，下面有個「其他命令」，這個便是 Excel 版的「我的最愛」。

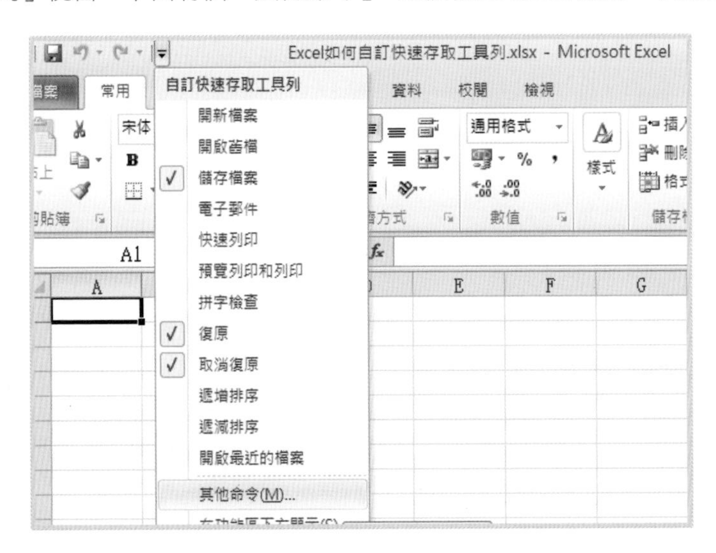

3 上一步驟所說的，其實就是快捷鍵，正式路徑在「檔案」>「說明」>「選項」>「快速存取工具列」。

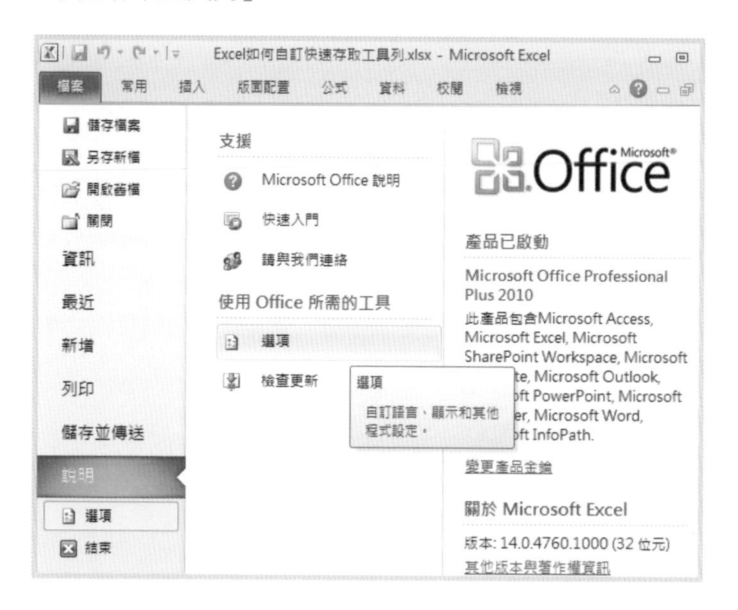

4 仔細看「自訂快速存取工具列」視窗，左邊是「由此選擇命令」，上面有「常用命令」、「不在功能區命令」，還有「所有命令」和「巨集」，下面則是依功能區頁籤區分出來的程式集。透過中間的「新增」、「移除」，可以將自己偏愛的命令添加到自訂工具列。右下角還有「匯入／匯出」功能，方便在不同電腦間套用。

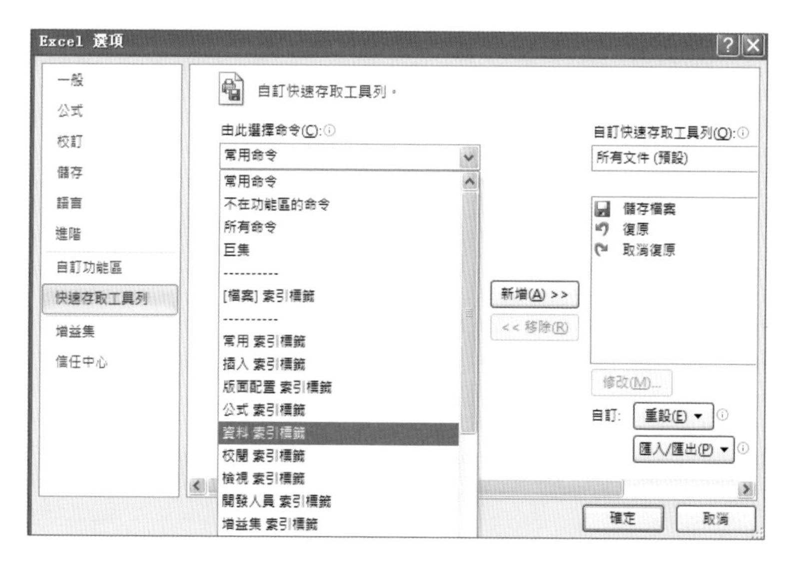

5 例如我很喜歡「群組」，可先叫出「資料索引標籤」，再將「群組」命令「新增」到「自訂快速存取工具列」，右邊就會多了一個命令。

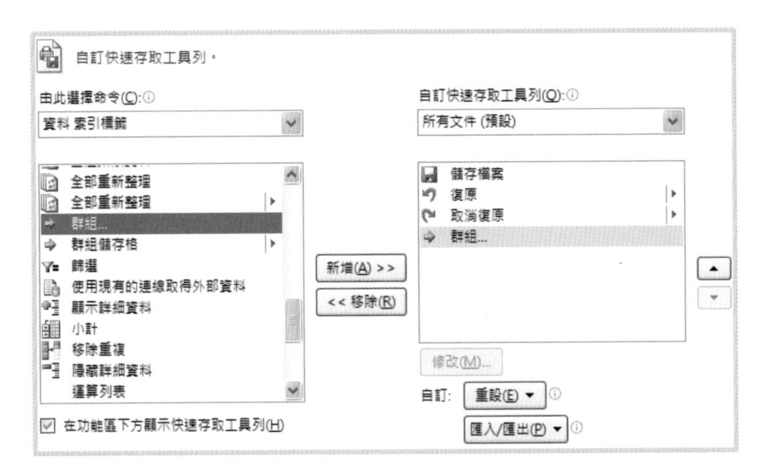

6 我還很喜歡「攝影」，它屬於「不在功能區命令」，同樣方法，將它「新增」到「自訂快速存取工具列」。

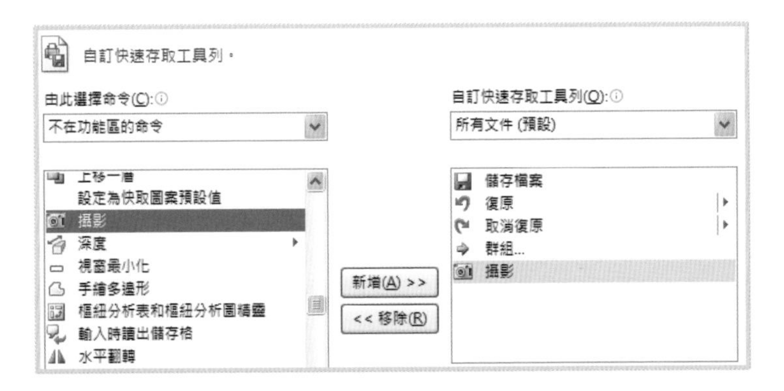

7 如圖所示是我個人偏愛的快速工具列，通常我每拿到一台新電腦，必須常用 Excel 時，就會趕快把偏好的工具列設好，圖片下方便是我設好的程式集。如前述，個人偏好不同，每個人都應該設置屬於自己的工具列。

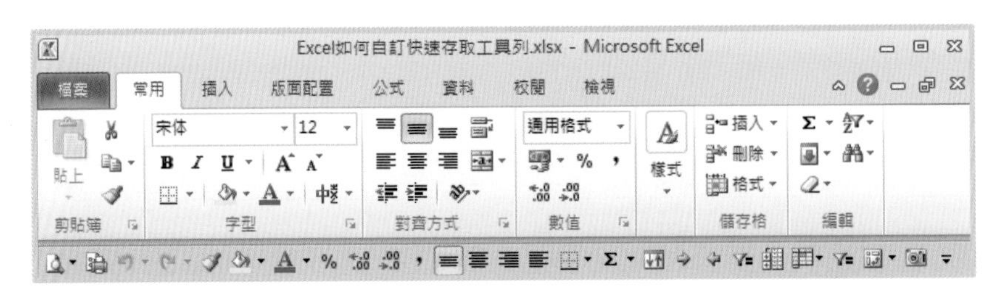

8 在這裡想特別介紹「攝影」功能。我習慣於郵件直接貼上 Excel 表格，這個時候，「攝影」就派上用場了，如前所述，它屬於「不在功能區的命令」，必須先將它「新增」到「自訂快速存取工具列」。實際使用時，例如簡明損益表，若想把這個表格作成貼圖，只要選取好範圍，按下自訂工具列的「攝影」。

A1 科目名稱 攝影

	A	B	C	D	E
1	科目名称	1月	2月	3月	第一季
2	一、銷貨收入	85,500	52,700	75,900	214,100
3	4100 內銷收入	35,000	24,300	26,300	85,600
4	4200 外銷收入	56,500	35,600	53,200	145,300
5	4400 銷貨退回	(6,000)	(7,200)	(3,600)	(16,800)
6	二、銷貨成本	69,450	42,390	66,480	178,320
7	5100 銷貨成本	59,850	36,890	60,720	157,460
8	5200 其他銷貨	9,600	5,500	5,760	20,860
9	三、銷貨毛利	16,050	10,310	9,420	35,780

9 將游標移到 Excel 中任何一個想貼上的地方，按左鍵，圖片便貼上去了，寫電子郵件時，可以直接將此圖片嵌入內文。

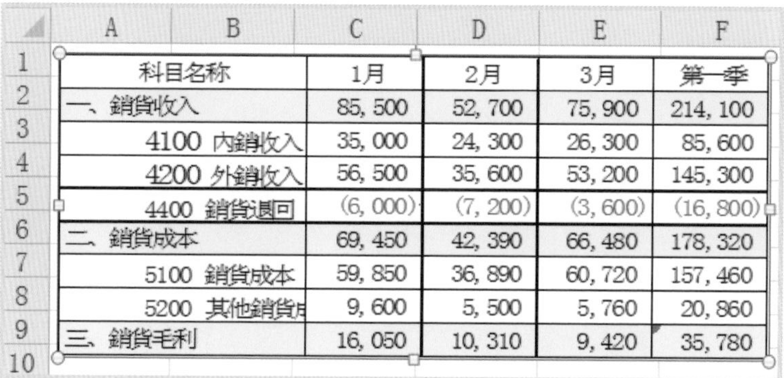

	A	B	C	D	E	F
1	科目名称		1月	2月	3月	第一季
2	一、銷貨收入		85,500	52,700	75,900	214,100
3	4100 內銷收入		35,000	24,300	26,300	85,600
4	4200 外銷收入		56,500	35,600	53,200	145,300
5	4400 銷貨退回		(6,000)	(7,200)	(3,600)	(16,800)
6	二、銷貨成本		69,450	42,390	66,480	178,320
7	5100 銷貨成本		59,850	36,890	60,720	157,460
8	5200 其他銷貨		9,600	5,500	5,760	20,860
9	三、銷貨毛利		16,050	10,310	9,420	35,780
10						

網頁瀏覽器都有「我的最愛」功能，將常用網頁放在隨手可得的地方，方便點選。比較大型的 ERP 系統，上百支各個模塊的作業程式及查詢報表，為了不同職能操作人員方便，通常也會有「我的最愛」，以便將自己常用程式設置捷徑，快速操作。如同本章節所分享的，微軟 Excel 也有類似功能，只要善加利用，可以達到快速操作 Excel 的效果。

2.2 如何調整列印版面

微軟 OFFICE 是由幾套軟體共同組成，在學校時我只用過 Word，知道有 Excel，但跟它完全不熟。後來進事務所，還沒碰底稿前就先接收組長用 MSN 傳來的好幾個 Excel 檔，從此，踏入 Excel 世界的不歸路。而組長教我的第一門功夫，不是函數、不是樞紐，而是如何列印。這套小技巧我一直用到現在，雖然很基本但卻很實用，在此分享：

1. 首先，叫出列印設定的視窗：「版面配置」>「列印標題」。

2. 「版面設定」的第一個頁籤是「頁面」:「方向」通常是選擇「直向」，如果報表欄位很多，偏寬型，就應該選「橫向」，列印出來文字和數字才不會像螞蟻，欺負老花眼的會計師。「縮放比例」通常調整成「1 頁寬」、好幾頁高，或者乾脆在頁高設成空白，這樣可確保列出來的報表，每一頁包含所有欄位。最後是「紙張大小」，預設是「A4」，視情況需要可調成「B4」或「A3」。

3 「版面設定」的第二個頁籤是「邊界」：通常會設為「水平置中」，讓列印出來的資料，水平位於紙張的中間位置，至於垂直置中，用到的機會不多，一般是橫向列印才會需要。

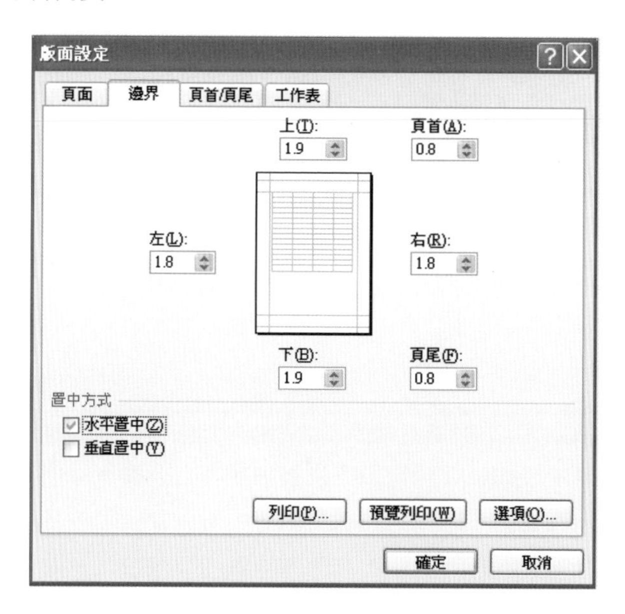

4 「頁首 / 頁尾」部份：頁首依照某事務所會計師的統一規範，三行，依序是公司名稱、報表名稱、期間，頁尾部份，註明第幾頁、總共幾頁，方便查找。

5 「頁尾」設置，可以插入日期、時間、路徑、檔案名稱、工作表名稱等，甚至可以插入圖片，不過我常用、也唯一用過的，還是頁碼和頁數。

6 「工作表」：有時候如果只想列印工作表中某特定區域，可以利用「列印範圍」的方式，通常報表第一列都是各欄位名稱，所以會設定「標題列」，這樣印出來的每一張都會有固定的表頭，方便閱讀各欄位資料。至於像「列印格線」、顯示「註解」等，用到的次數趨近於零。

7 無論是否設定好列印格式，在列印之前，養成習慣先「預覽列印」，預先檢查可避免紙張浪費，提高工作效率。在「版面設定」的「邊界」，是以數值調整邊界，在預覽列印中把「顯示邊界」打勾，就可以用非常直覺的方式調整邊界。

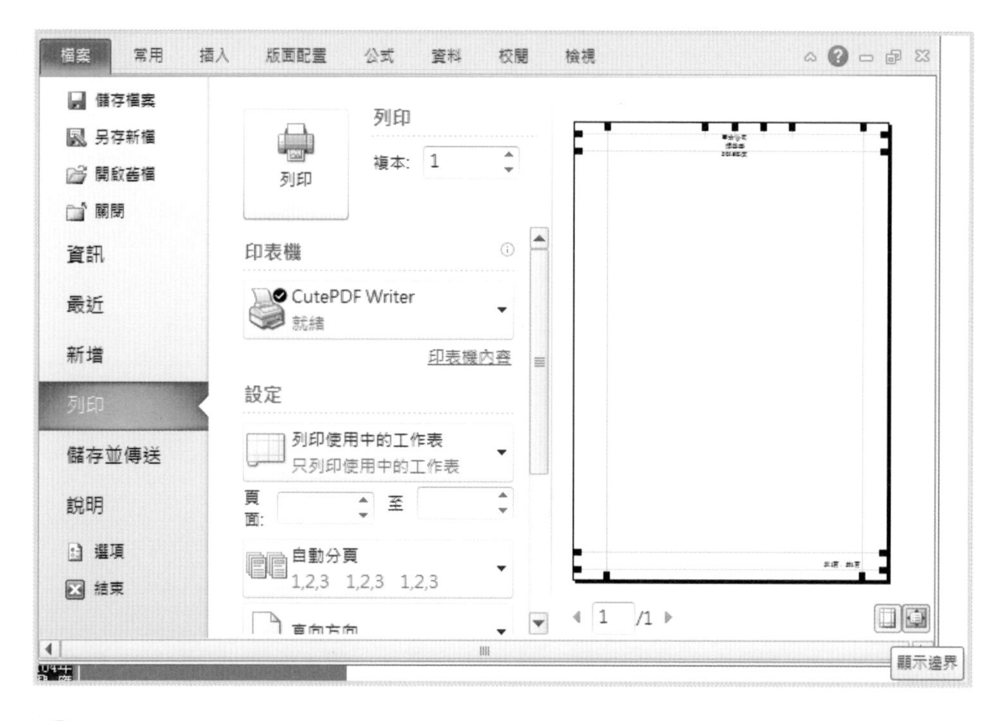

8 最後再補充一點，「檢視」>「分頁預覽」，等於是直接在工作表上預覽列印，最大好處是可以手動調整列印分頁線，愛怎麼調就怎麼調！

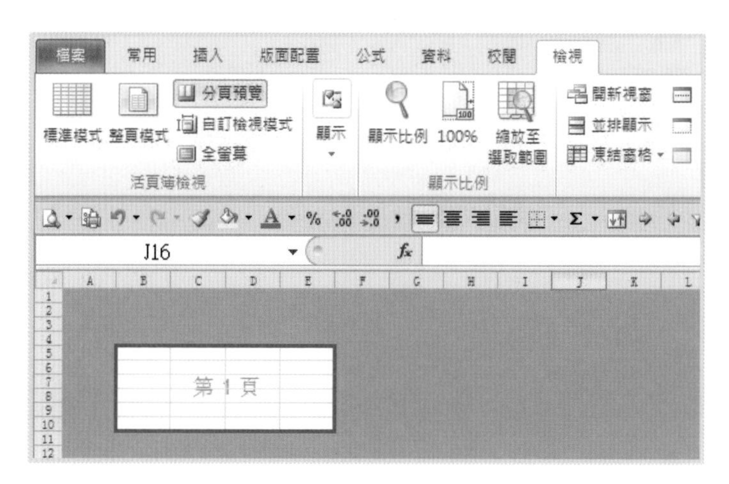

2.3 設置儲存格的數值格式

Excel 用久了，每個人都有自己偏好的文字數值格式，每次編製報表，都會忍不住手癢修改成賞心悅目的格式。這樣一直修修改改也是挺麻煩，特別是當這個還是老闆聖旨欽定的格式，不得不為之，那就更煩了！在此分享簡單小秘訣，有效減緩煩人程度：

1. 如圖所示，剛拿到的報表真是不堪入目。

	A	B	C	D	E	F
1	月份	客戶	銷貨數量	銷貨金額	銷貨成本	銷貨毛利
2	1412	A	15600.00	342736.00	309261.69	33474.31
3	1412	A	3600.00	77176.21	71368.08	5808.12
4	1412	B	10800.00	231528.62	231759.62	-231.00
5	1412	B	7200.00	156207.31	142736.16	13471.15
6	1412	B	-8400.00	-182241.86	-166525.52	-15716.34
7	1412	B	0.00	-500.00	0.00	-500.00
8	1412	B	14400.00	312414.62	285472.32	26942.30

2. 第一步：取到整數（「小數位數」設為 0）、撇千分位、負數以括號紅字表達。想省事可以按快捷組合鍵「Ctrl+1」，呼喚出「儲存格格式」視窗，能省一步是一步。

3 一改之後，果然看起來不一樣了吧！

	A	B	C	D	E	F
1	月份	客戶	銷貨數量	銷貨金額	銷貨成本	銷貨毛利
2	1412	A	15,600	342,736	309,262	33,474
3	1412	A	3,600	77,176	71,368	5,808
4	1412	B	10,800	231,529	231,760	(231)
5	1412	B	7,200	156,207	142,736	13,471
6	1412	B	(8,400)	(182,242)	(166,526)	(15,716)
7	1412	B	0	(500)	0	(500)
8	1412	B	14,400	312,415	285,472	26,942

4 有些老闆基於報告列印美觀，欽定使用某某某字體，這就要在「儲存格格式」視窗裡的「字型」頁籤中設定。

5 不得不承認，修改後的確比較好看，既然老闆這麼覺得，我就是這麼認定（這個很重要！）。另外，在「儲存格格式」視窗裡，還有「對齊方式」、「外框」、「填滿」等頁籤，有興趣可自行試驗，只要按確定馬上能看到效果，Excel 東西不難，多試幾次，久了成高手。

	A	B	C	D	E	F
1	月份	客戶	銷貨數量	銷貨金額	銷貨成本	銷貨毛利
2	1412	A	15,600	342,736	309,262	33,474
3	1412	A	3,600	77,176	71,368	5,808
4	1412	B	10,800	231,529	231,760	(231)
5	1412	B	7,200	156,207	142,736	13,471
6	1412	B	(8,400)	(182,242)	(166,526)	(15,716)
7	1412	B	0	(500)	0	(500)
8	1412	B	14,400	312,415	285,472	26,942

6 有些老闆非常講究，覺得在報表中顯示零沒必要，也不想看到。沒關係，上有政策下有對策：「設定格式化的條件」。

7 在跳出來的「等於」視窗中，設定所選取範圍如果有零值，顯示為自訂格式。

10,800	231,529	231,760	(231)
7,200	156,207	142,736	13,471
(8,400)	(182,242)	(166,526)	(15,716)
0	(500)	0	(500)
14,400	312,415	285,472	26,942

等於

格式化等於下列的儲存格:

0　顯示為　淺紅色填滿與深紅色文字

淺紅色填滿與深紅色文字
黃色填滿與深黃色文字
綠色填滿與深綠色文字
淺紅色填滿
紅色文字
紅色框線
自訂格式...

8 在「儲存格格式」的「字型」頁籤中，將「色彩」設定為白色。

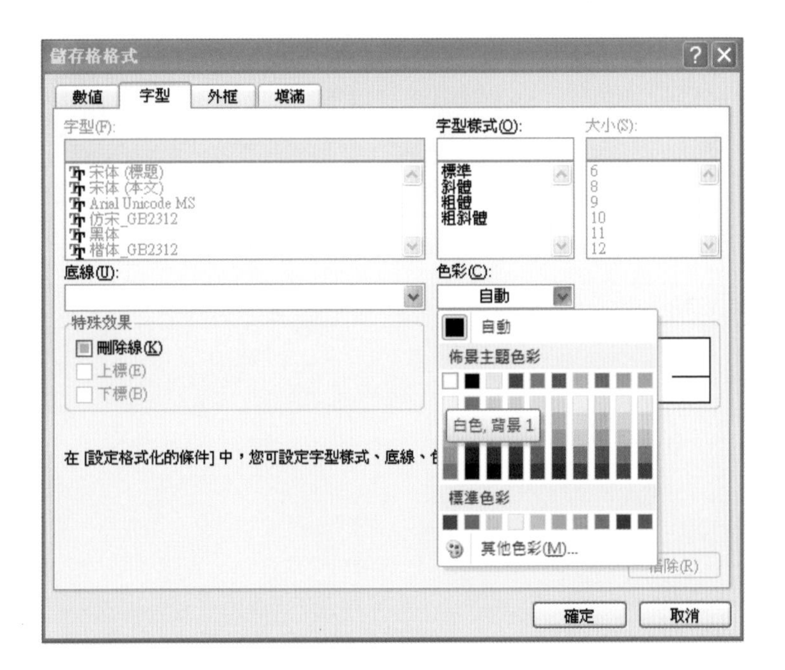

9 如圖所示，選取範圍呈現反灰時，可以看白色的零值，取消所選範圍，因為背景即為白色，果真就看不到零了，如果使用白紙列印，也看不到白色的零。

	A	B	C	D	E	F
1	月份	客戶	銷貨數量	銷貨金額	銷貨成本	銷貨毛利
2	1412	A	15,600	342,736	309,262	33,474
3	1412	A	3,600	77,176	71,368	5,808
4	1412	B	10,800	231,529	231,760	(231)
5	1412	B	7,200	156,207	142,736	13,471
6	1412	B	(8,400)	(182,242)	(166,526)	(15,716)
7	1412	B	0	(500)	0	(500)
8	1412	B	14,400	312,415	285,472	26,942

	A	B	C	D	E	F
1	月份	客戶	銷貨數量	銷貨金額	銷貨成本	銷貨毛利
2	1412	A	15,600	342,736	309,262	33,474
3	1412	A	3,600	77,176	71,368	5,808
4	1412	B	10,800	231,529	231,760	(231)
5	1412	B	7,200	156,207	142,736	13,471
6	1412	B	(8,400)	(182,242)	(166,526)	(15,716)
7	1412	B		(500)		(500)
8	1412	B	14,400	312,415	285,472	26,942

2.4 錄製及管理巨集

上一節介紹了如何設置儲存格的數值格式，包括取整數、撇千分位、負數以括號紅字表示，雖然說以快速組合鍵「Ctrl+1」能呼喚出「儲存格格式」視窗，設置一下不算太麻煩，但像這樣整理格式的步驟，可能每次一拿到新的 Excel 檔案，同樣的步驟都要一再重複設置，繁瑣就算了，還浪費時間。針對此類操作，如果能建立一個像「Ctrl+1」的快速組合鍵，絕對是勢在必行，這個便是 Excel 的巨集功能，以下分享：

1 拿到的原始報表，資料格式顯然未經整理。

	A	B	C	D	E
1	月份	客戶	銷貨金額	銷貨成本	銷貨毛利
2	1412	A	342736.0000	309261.6852	33474.3148
3	1412	A	77176.2060	71368.0812	5808.1248
4	1412	B	231528.6180	231759.6180	-231.0000
5	1412	B	156207.3120	142736.1624	13471.1496
6	1412	B	-182241.8640	-166525.5228	-15716.3412
7	1412	B	-500.0000	0.0000	-500.0000
8	1412	B	312414.6240	285472.3248	26942.2992

2 開始千篇一律的整理格式之前，為了日後方便起見，可做個自動化快速鍵，把功能區移到「檢視」頁籤 >「巨集」>「錄製巨集」。

3. 為這個巨集取個名稱：巨集 1，設置快速鍵 Ctrl+Z，並且加點描述：負數括號、Times New Roman 字體、零值隱藏。其中設置快速鍵要特別說明，將游標點到空格內，按住「Shift」同時再按下「Z」。每個人都可依自己喜好設置字母鍵，注意不要跟現有快速鍵（例如 Ctrl+V）重複即可。

4. 自動化的步驟結束之後，記得要按下「停止錄製」。

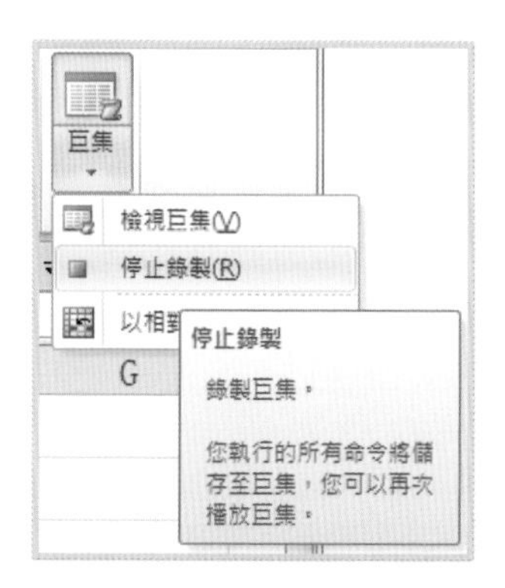

5. 錄製完成後，不但原來的報表已經整理好格式，在沒有整理過的報表，只要按「Ctrl+Z」快速鍵，就會自動執行預設的整理程序（負數括號、Times New Roman 字體、零值隱藏），相當方便。

	A	B	C	D	E	F
1	月份	客戶	銷貨數量	銷貨金額	銷貨成本	銷貨毛利
2	1412	A	15,600.00	342,736.00	309,261.69	33,474.31
3	1412	A	3,600.00	77,176.21	71,368.08	5,808.12
4	1412	B	10,800.00	231,528.62	231,759.62	(231.00)
5	1412	B	7,200.00	156,207.31	142,736.16	13,471.15
6	1412	B	(8,400.00)	(182,241.86)	(166,525.52)	(15,716.34)
7	1412	B	0.00	(500.00)	0.00	(500.00)
8	1412	B	14,400.00	312,414.62	285,472.32	26,942.30

6 利用這個機會，簡單介紹 Excel 系統預設的快速鍵，下圖所示都是我自己經常用的快速鍵。

	A	B	C
1	Ctrl	1	儲存格格式
2	Ctrl	A	選取資料範圍
3	Ctrl	S	儲存檔案
4	Ctrl	X	剪下
5	Ctrl	C	複製
6	Ctrl	V	貼上
7	Ctrl	B	字體加粗
8	Ctrl	G	到（同F5）
9	Ctrl	N	開啓新活頁簿
10	Ctrl	P	列印
11	Ctrl	Z	復原

7 先前提到錄製巨集所設置的快速鍵，不要跟現有快速鍵重複，其中也包括系統預設快速鍵。其實如果真的重複了，也不會有太大問題，只是系統預設將被所錄製的巨集覆蓋。針對這個問題，可以到「檢視」>「巨集」>「檢視巨集」裡，管理所錄製好的巨集，可以設定巨集使用範圍，也可以修改巨集的快速鍵、描述，如果選擇「編輯」，會發現巨集就是把剛才操作的步驟編寫成 VBA 語言。厲害的高手能直接編寫 VBA 程式，不過對於一般會計人來說，為了省事，錄製巨集即可，真有興趣或是真有需要，再來學習 VBA 吧！

2.5 如何設定巨集安全性和其他偏好選項

上一節有分享如何錄製巨集，我們當然希望錄製好的 Excel 巨集，可以拿到其他電腦直接使用，但實務上往往會遇到困難，這是因為 Excel 預設了比較高的安全性，導致巨集被擋住了。在此分享如何更改設定，並且分享其他幾個常用的設定選項：

1. 在其他電腦打開含有巨集的 Excel 檔案，若無法執行巨集，會跳出一個錯誤訊息：「由於您的安全性設定，已經停用巨集。」

2. Excel 的安全性設定，在功能區「檔案」頁籤中，依序是「說明」>「選項」。（其他版本的 Excel，則是點選左上角 Office 圖標，在跳出來的視窗右下角有個「Excel 選項」）

3 點選「信任中心」中的「信任中心設定」，可設定巨集的安全性。

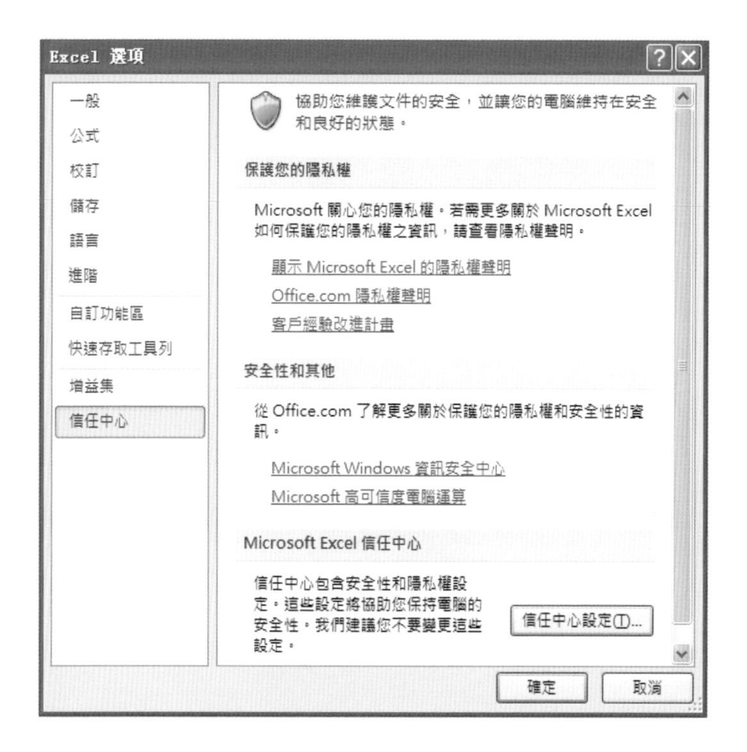

4 「巨集設定」有四個層級，預設的是「停用所有巨集（不事先通知）」，這就會導致錄好的巨集無法執行。想想看，如果別人給的檔案，不小心裡面藏有恐怖巨集怎麼辦？因此 Excel 預設是較高的安全等級，不過，不用怕，以我多年 Excel 老手經驗，還真沒碰過所謂的恐怖巨集，所以請放心改成「啟用所有巨集」吧（如果真的有疑慮，也可以保留先檢視巨集再說）！

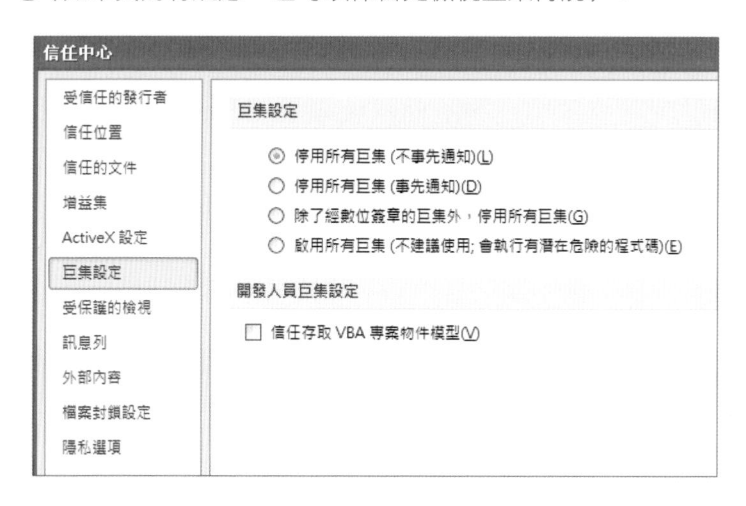

5 既然來到 Excel 選項，順便分享幾個關鍵設定。首先，在「一般」中的「建立新活頁簿時」這裡，可以預設一個全新 Excel 檔的初始字型、大小、檢視模式、幾個工作表等。

6 在「公式」中的「運用公式」中有個「為樞紐分析表參照使用 GetPivotData 函數」，這個很實用，值得詳加介紹。

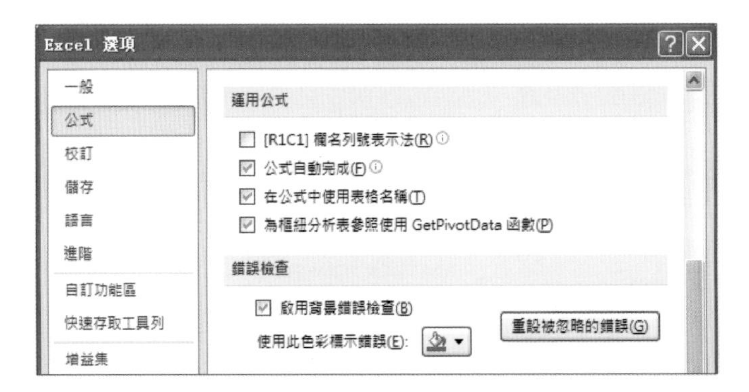

7 預設是使用 GetPivotData 函數，計算公式如果連結到樞紐分析表，會把 GetPivotData 函數帶進來，不好理解是其次，重點是它預設了固定欄位，公式不會自動往下拉，如圖所示，毛利率固定為 A 客戶的 9%，而不是跟著往下移位的 B 客戶及總計。

f_x =GETPIVOTDATA("加總 - 銷貨毛利",$B$1,"客戶","A")/GETPIVOTDATA("加總 - 銷貨金額",$B$1,"客戶","A")

B	C	D	E
	資料		
客戶	加總 - 銷貨金額	加總 - 銷貨毛利	毛利率
A	1,669,571	147,052	9%
B	2,066,965	351,421	9%
總計	3,736,535	498,472	9%

8. 試著把剛才選項前的打勾去掉，不使用樞紐函數，然後再輸入公式計算樞紐分析表的儲存格數字，結果如同一般情況，清爽簡便許多。

f_x =D3/C3

B	C	D	E
客戶	加總 - 銷貨金額	加總 - 銷貨毛利	毛利率
A	1,669,571	147,052	9%
B	2,066,965	351,421	17%
總計	3,736,535	498,472	13%

9. 「儲存」中的「儲存活頁簿」，在此設定 Excel 自動儲存選項。在處理龐大資料時，自動儲存會讓 Excel 停頓許久，此時可考慮取消自動儲存，改成自己視情況而儲存，方便作業進行。不過，如果處理的是很重要資料，也可以反過來增加自動儲存的頻率，避免任何悲劇發生。自動備份其實平常幾乎用不到，但真的有什麼萬一，可以來這裡查詢「自動回復檔案位置」，看看 Excel 檔案都自動儲存在哪了。另外，也可以在這裡更改預設的儲存位置。

⑩「進階」中的「此工作表的顯示選項」，裡面有個「顯示格線」，這個功能令我印象深刻，因為之前在事務所有 incharge 偏好沒有格線的電子底稿，當時我還特意問了一下怎麼弄。

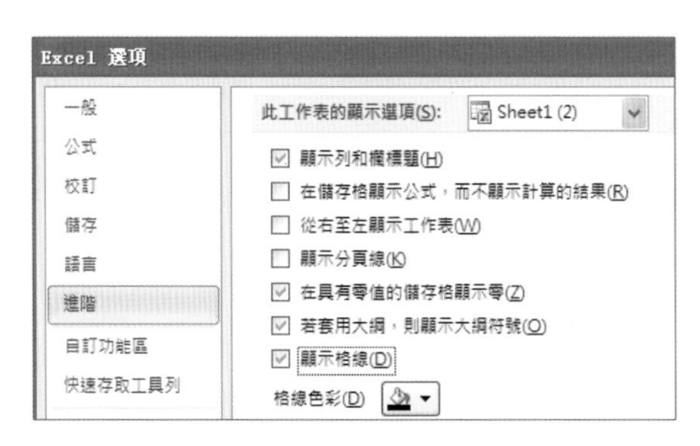

⑪下表為 Excel 預設的有格線的顯示方式，畢竟試算表嘛，天生一格一格的。

	A	B	C	D	E	F
1						
2			資料			
3		客戶	加總 - 銷貨金額	加總 - 銷貨毛利	毛利率	
4		A	1,669,571	147,052	9%	
5		B	2,066,965	351,421	17%	
6		總計	3,736,535	498,472	13%	
7						

⑫下表為有些人偏好的沒有格線的顯示方式，畢竟簡潔大方好看。無論工作表有沒有設定格線，列印出來都不會有格線，如果，不想拿個長尺對齊核對，想要列印格線的話也行，在列印選項的格線打勾即可。

	A	B	C	D	E	F
1						
2			資料			
3		客戶	加總 - 銷貨金額	加總 - 銷貨毛利	毛利率	
4		A	1,669,571	147,052	9%	
5		B	2,066,965	351,421	17%	
6		總計	3,736,535	498,472	13%	
7						

在此只是簡略介紹幾個 Excel 選項，建議抽空把每個選項從頭到尾看一遍，才能有較全面性地瞭解，也許哪一天，某些設定就能剛好符合需要。

報表數值格式處理

3.1 報表取仟元表達

通常稍具規模的企業，隨便一個數字就是幾十萬上下，所以會計師的查核報表，皆是以仟元表達，基於重大性原則，幾十幾百的數字尾巴都被砍掉了。同樣道理，企業內部財務報表或是會議簡報，為了便於閱讀理解，大部份也會採用仟元表達。於是乎，如何快速將 Excel 報表轉成「成仟上萬」的方式，值得好好琢磨琢磨，在此分享相關小技巧：

1. 系統報表跑出來預設是以元為單位，看起來很傷眼力，不容易解讀，其實那些仟元以下的數字，根本不影響管理決策（不痛不癢），可以無視槓掉。

	A	B	C	D	E	F	G	H
1		台北有限公司						
2		2013年11月						
3		損益表						
4		科目名稱	十一月金額	%	十月金額	%	兩期差異	%
5		一、銷貨收入	285,854,382	100%	100,174,588	100%	185,679,794	185%
6		銷貨收入-A	43,561,197	42%	41,814,810	42%	1,746,387	4%
7		銷貨收入-B	117,967,293	58%	58,359,778	58%	59,607,515	102%
8		銷貨收入-C	65,342,396	58%	58,359,778	58%	6,982,618	12%
9		銷貨收入-D	58,983,496	58%	58,359,778	58%	623,718	1%
10		二、主營業務成本	97,997,376	96%	93,325,338	93%	4,672,038	5%
11		銷貨成本	97,997,376	96%	93,208,365	93%	4,789,011	5%

2. 說到取仟元，簡單直接的就是帶公式：「=C5/1000」，除以一千拉下來，仟元以下尾數一刀砍，看起來即清爽許多。

D5 =C5/1000

	A	B	C	D	E
1		台北有限公司			
2		2013年11月			
3		損益表			
4		科目名稱	十一月金額	取仟元	%
5		一、銷貨收入	285,854,382	285,854	100%
6		銷貨收入-A	43,561,197	43,561	42%
7		銷貨收入-B	117,967,293	117,967	58%
8		銷貨收入-C	65,342,396	65,342	58%
9		銷貨收入-D	58,983,496	58,983	58%

3. 除了簡單公式，當然還有更華麗的炫技，隨便找個空白儲存格輸入「1000」，在儲存格上按「Ctrl+C」快速組合鍵複製，然後選取 C6 到 C10 的範圍，按住 Ctrl 鍵不放，再選取 E6 到 E10 範圍，如此便可同時選取不同區域範圍的儲存格，接著按滑鼠右鍵，選單中點擊「選擇性貼上」。

4. 在跳出來的視窗中勾選「除」功能，最後按「確定」。

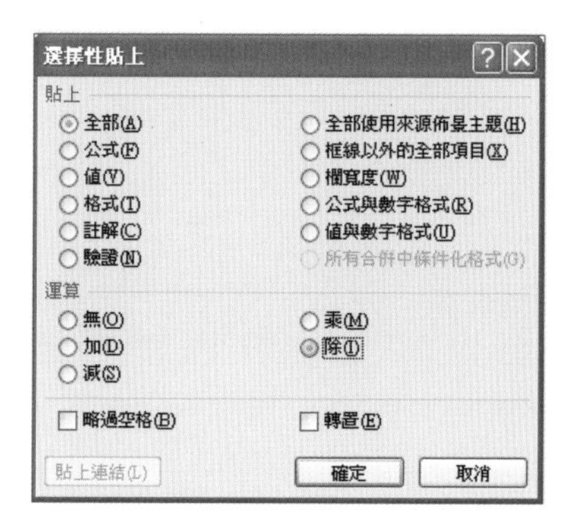

5. 剎那間，所有被選取的數字皆已成仟，這一招還蠻炫的吧！

	1,000		
科目名稱	十一月金額	%	十月金額
一、銷貨收入	285,854	100%	100,175
銷貨收入-A	43,561	42%	41,815
銷貨收入-B	117,967	58%	58,360
銷貨收入-C	65,342	58%	58,360
銷貨收入-D	58,983	58%	58,360

6 上面作法有個小問題，當全部數字都取仟位時，遇有加總情形就很容易出槌，合計數有可能不等於各個數字相加，會有加一減一的尾差。以範例來說，「43,561＋117,967＋65,342＋58,983＝285,853」，和儲存格 C6「285,854」差了 1 元。這是因為縱使取了仟元，但 Excel 非常貼心，各個儲存格仍然保留原來數值，只是顯示時自動四捨五入進仟位了。以圖示為例，表面上怎麼看都是「285,854」，實際檢視儲存格內容，仟以下尾數仍在（285854.381585）。所以 ABCD 四項收入加總，每項收入可能剛好都被四捨砍掉，可是依照原值加起來，總數卻大有可能該五入進位了。不知情者光看簡報，會覺得奇怪，勢必得解釋一番，但再怎麼解釋，印象分數已經差一截了。

C6 | fx 285854.381585

	A	B	C
5		科目名稱	十一月金額
6		一、銷貨收入	285,854
7		銷貨收入-A	43,561
8		銷貨收入-B	117,967

7 有個解決四捨五入的函數：「ROUND」。首先依照原來方法除以 1000，關鍵是外面再包一層函數：「=ROUND（C5/1000,0）」，意思是將數值「C5/1000」四捨五入，進位到整數，函數中逗號後面的零，表示取到零個小數點，也就是取整數。

D5 | fx =ROUND(C5/1000,0)

	A	B	C	D
4		科目名稱	十一月金額	取仟元
5		一、銷貨收入	285,854,381.59	285,854.00
6		銷貨收入-A	43,561,197.05	43,561.00
7		銷貨收入-B	117,967,292.64	117,967.00
8		銷貨收入-C	65,342,395.58	65,342.00
9		銷貨收入-D	58,983,496.32	58,983.00

8 同樣公式拉下來，四項收入加總數仍然有尾差，重點在於必須將加總儲存格的內容改為函數：「=SUM(D6:D9)」，如此一來，保證不會有尾差，可以放心交出報表囉！其實這個 SUM 加總程序，應該列入會計人 SOP，每張報表即使公式設置再怎麼完美，有加總的地方，還是要一一檢查，避免出錯。魔鬼出在細節裡，會計人的帳務品質，同樣出在細節裡。

D5 | fx =SUM(D6:D9)

	A	B	C	D
4		科目名稱	十一月金額	取仟元
5		一、銷貨收入	285,854,381.59	285,853.00
6		銷貨收入-A	43,561,197.05	43,561.00
7		銷貨收入-B	117,967,292.64	117,967.00
8		銷貨收入-C	65,342,395.58	65,342.00
9		銷貨收入-D	58,983,496.32	58,983.00

3.2 以數值格式代碼表達仟元

上一節提到 Excel 如何設定仟元表達，有簡單公式和 ROUND 函數兩種方法，這是比較檯面上的方法。關於數值格式，Excel 還隱藏了一個暗黑心法，是以類似寫代碼方式，管控數值格式，如能善加利用此法，效果不但非常神奇，而且更加直接，在此分享：

1. 延續上一節範例，簡單的一個損益表，主要針對收入部份作說明。Excel 好處是公式相當容易延伸複製，所以如果收入設置好公式了，想套用到整個損益表，只是一瞬間的事而已。

	A	B	C	D	E
1			台北有限公司		
2			2013年11月		
3			損益表		
4		科目名稱	十一月金額	%	十月金額
5		一、銷貨收入	220,972,536	100%	152,698,388
6		銷貨收入-A	43,561,197	42%	41,814,810
7		銷貨收入-B	117,967,293	58%	58,359,778
8		銷貨收入-C	65,342,396	58%	58,359,778
9		銷貨退回及折讓	(5,898,349)	58%	(5,835,978)

2. 以滑鼠選取黃色範圍，按組合快速鍵「Ctrl+1」進入「儲存格格式」視窗，在「數值」頁籤移到「自訂」，顯示的是目前的數值格式代碼：「#,##0_」;[紅色]（#,##0）」。在此簡單說明，數值格式代碼以分號（;）區隔成四個段落，分別是正數、負數、零值、文本的格式代碼，因此這裡看到的代碼，分別定義了正數和負數。「 # 」是數字代碼，只顯示有效值，零不顯示，「0」也是數字代碼，任何數字包括零都會顯示，「,」是仟分位代碼，所以第一部份的「#,##0」，代表是取到整數位，打上仟分位符號，即使儲存格值是零，也要顯示為「0」，不能空白。「_」表示正數在右邊留下一個字元空格，底線是空格的代碼，把這個和分號後面的「[紅色]（#,##0）」對比，可以知道作用在於讓正數負數對齊，「[ ]」是顏色代碼，裡面可以填上顏色名稱，在這裡是會計人慣用的負數紅字。

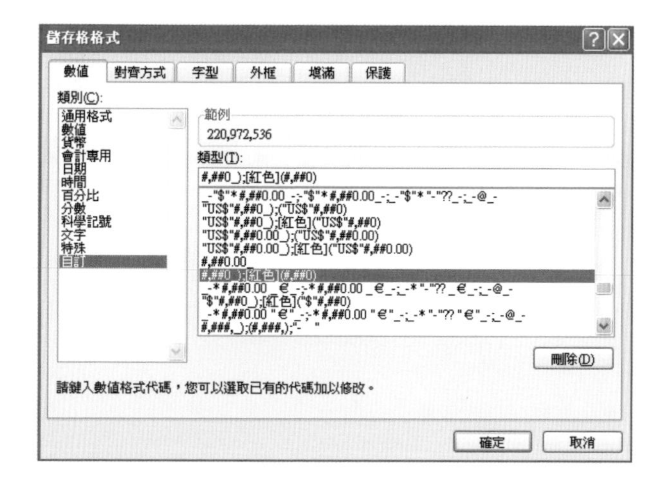

3 在正數和負數代碼後面都加一個「,」，其後沒有數字代碼，表示取仟元表達，仟元以下隱藏，修改之後的代碼：「#,###,_」;[紅色](#,###,)」，顯示出來的報表正如我們所願。

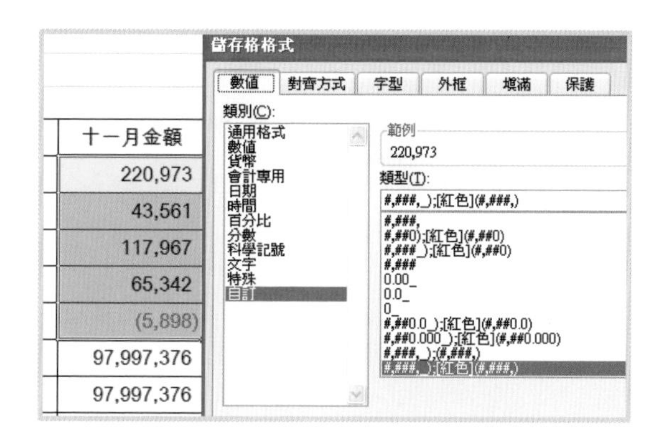

4 若用計算核算：43,561＋117,967＋65,342−5,898 = 220,972，銷貨收入 C5 卻是顯示 220,973。仔細將整數和三位小數分別顯示，發現是隱身於小數後面尾數的緣故。

fx =C2/1000

C	D	E
十一月金額	取到整數顯示	小數三位顯示
220,973	220,973	220,972.536
43,561	43,561	43,561.197
117,967	117,967	117,967.293
65,342	65,342	65,342.396
(5,898)	(5,898)	(5,898.349)

5 在合計儲存格輸入公式「=SUM(C3:C6)」，也是於事無補，看不見的尾數仍然存在，問題並沒有解決。對策之一是上一節提到的，先 Round 再 Sum，如此需要執行好幾個步驟，接下來嘗試另外一種方法。

fx =SUM(C3:C6)

C
十一月金額
220,973
43,561
117,967
65,342
(5,898)

6 第一章有提到 Excel 工作表選項，在這裡要做特殊的設定：「檔案」>「進階」>「計算此活頁簿時」中有一個「以顯示值為準」，將方框打勾，會跳出示警視窗：「資料將永遠失去其精準度」，這個表示如果儲存格數值有小數，在公式計算時，會純粹以顯示數值作計算，原本的尾數不再保留，這就是失其精準度的意思。

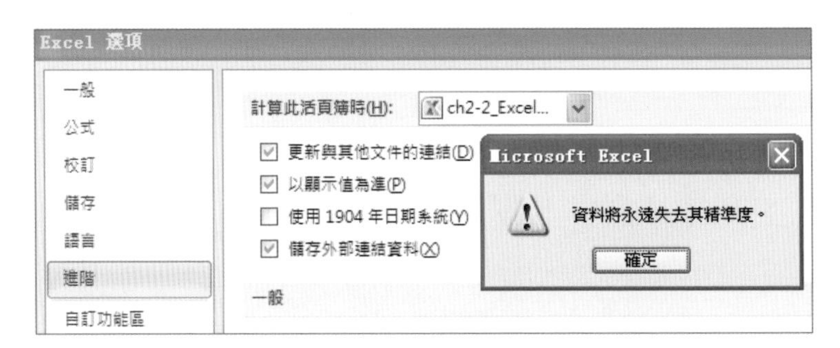

7 設定好回到工作表，終於出現「220,972」。仔細看 C3 儲存格內容，是「46561000」，表示沒有顯示的部份已經都歸零了，所以在 D 欄 E 欄，以 D3 和 E3 為例，公式都是「C3/1000」，以整數位和小數三位顯示的絕對數值都是一樣的，沒有看不見的尾數。

C3 fx 43561000

	A	B	C	D	E
1		科目名稱	十一月金額	取到整數顯示	小數三位顯示
2		一、銷貨收入	220,972	220,972	220,972.000
3		銷貨收入-A	43,561	43,561	43,561.000
4		銷貨收入-B	117,967	117,967	117,967.000
5		銷貨收入-C	65,342	65,342	65,342.000
6		銷貨退回及折讓	(5,898)	(5,898)	(5,898.000)

如同跳出來的提醒訊息，「以顯示值為準」是基本設定，一旦打勾了，Excel 所有資料的計算方法都會有所改變。以會計人而言，報表數據加總，當然希望以顯示值為基準計算，可是在某些情形，例如匯率換算，可能又希望計算前後保留尾數，這個在設定改變之後，必須特別留意。

3.3 調整差異百分比格式

分析兩期差異，不但是查核各科目必要的分析性複核程序，也是公司會計編製財務報表時，必須執行的複核機制，通常更是向上層作財務報告時，必須附上的分析說明。因為將當期的結算數據，和上期金額一作比較說明，冷冰冰的財務數字，馬上有了管理上的實質意義。兩期差異雖然都只是簡單的加減乘除，但如果要對格式呈現上更加專業嚴謹，也是需要一些 Excel 小技巧，以下分享：

1. 此次範例的損益表，為了方便公式說明，只擷取收入部份，並且設計了 ABCDE 五個客戶，兩個月的金額有正有負，所以這一節分享的，不僅適用於損益表，同時也適用收入明細表、或者各種有正有負的財務管理報表。

	A	B	C
1		台北有限公司	
2		2014年3月	
3		損益表	
4	科目名稱	三月金額	二月金額
5	銷貨收入小計	49,000	35,000
6	銷貨收入 - A	20,000	40,000
7	銷貨收入 - B	30,000	0
8	銷貨收入 - C	(5,000)	5,000
9	銷貨收入 - D	5,000	(5,000)
10	銷貨收入 - E	(1,000)	(5,000)

2. 幾乎已成職業習慣，會計人拿到這類報表，總是要加上「差異金額」(=B5−C5）和「%」(=D5/C5)，將游標移到儲存格右下角，會由白十字變成黑十字，往下拉便可以複製公式。仔細一看，出現了一個「#DIV/0！」，這是除以零所產生的錯誤訊息。

	A	B	C	D	E
1		台北有限公司			
2		2014年3月			
3		損益表			
4	科目名稱	三月金額	二月金額	兩期差異	%
5	銷貨收入小計	49,000	35,000	14,000	40%
6	銷貨收入 - A	20,000	40,000	(20,000)	-50%
7	銷貨收入 - B	30,000	0	30,000	#DIV/0!
8	銷貨收入 - C	(5,000)	5,000	(10,000)	-200%
9	銷貨收入 - D	5,000	(5,000)	10,000	-200%
10	銷貨收入 - E	(1,000)	(5,000)	4,000	-80%

3 解決方案是針對分母為零的情況，加個條件公式：「=IF(C7=0,"NA",D7/C7)」。不過再仔細看，如果本月為正數，上月為負數，差異金額理所當然是正數，但差異比率因為是正除以負，變成負數，如同圖片標黃色部份。如果是會計人，大家都可以理解是套了公式，然而筆者遇過在簡報會議上，老闆提出疑問：本月金額增加，差異比率不是應該為正嗎？雖然說，當場可以解釋幾句，但是這個解釋幾句，在會議就有點不必要，如果能考慮到這個可能造成錯覺的表達，稍加修改會更好。

E7 =IF(C7=0,"NA",D7/C7)

	A	B	C	D	E
1		台北有限公司			
2		2014年3月			
3		損益表			
4	科目名稱	三月金額	二月金額	兩期差異	%
5	銷貨收入小計	49,000	35,000	14,000	40%
6	銷貨收入 - A	20,000	40,000	(20,000)	-50%
7	銷貨收入 - B	30,000	0	30,000	NA
8	銷貨收入 - C	(5,000)	5,000	(10,000)	-200%
9	銷貨收入 - D	5,000	(5,000)	10,000	-200%
10	銷貨收入 - E	(1,000)	(5,000)	4,000	-80%

4 那就再來一個特殊狀況處理：「=IF(AND(B9>=0,C9<0),-D9/C9,D9/C9)」，在原來的條件式外面，再冠上一個若 P 則 Q 的 IF 函數，並且以 AND 函數作為判斷，如果本月為正、上月為負，原差異比率公式的結果要正負逆轉，否則（AND 函數不成立）維持原公式。不過，解決了這個問題，馬上又會發現，如果兩個月都是負數，照樣有正負差異不好理解的狀況，如圖標示黃色部份。

4	科目名稱	三月金額	二月金額	兩期差異	%
5	銷貨收入小計	49,000	35,000	14,000	40%
6	銷貨收入 - A	20,000	40,000	(20,000)	-50%
7	銷貨收入 - B	30,000	0	30,000	NA
8	銷貨收入 - C	(5,000)	5,000	(10,000)	-200%
9	銷貨收入 - D	5,000	(5,000)	10,000	200%
10	銷貨收入 - E	(1,000)	(5,000)	4,000	-80%

5 照樣造句，輸入公式：「=IF(AND(B10<0,C10<0),-D10/C10,D10/C10)」。命令 Excel 遇到兩個負負，計算結果正負逆轉。聰明讀者很快會發現，剛才那個公式的條件之一是上月為負，現在這個公式的條件之一也是上月為負，直接修改公式：「=IF(C9<0,-D9/C9,D9/C9)」，一切 OK 了。

4	科目名稱	三月金額	二月金額	兩期差異	%
5	銷貨收入小計	49,000	35,000	14,000	40%
6	銷貨收入 - A	20,000	40,000	(20,000)	-50%
7	銷貨收入 - B	30,000	0	30,000	NA
8	銷貨收入 - C	(5,000)	5,000	(10,000)	-200%
9	銷貨收入 - D	5,000	(5,000)	10,000	200%
10	銷貨收入 - E	(1,000)	(5,000)	4,000	80%

6 把上面三個特殊情況的條件，併在一個公式裡：「=IF(D10=0,"NA",IF(OR(AND(C10>=0,D10<0),AND(C10<0,D10<0)),-E10/D10,E10/D10))」。到這個階段，對於 IF、AND、OR 等邏輯函數的應用，應該已經能完整理解，可以舉一反三了。像這樣多重 IF 判斷公式，看起來不容易直接理解，而且不一定所有狀況都能夠應付。其實 Excel 還有更高階的陣列和 VBA，不過依照我多年實務經驗，幾個 IF 套起來已經夠用了。況且，通常會計每個月都是例行性報表，所以儘管公式相當長，只要第一次把它設好，下個月複製貼上，下下個月一樣再複製貼上，非常方便。

fx =IF(D10=0,"NA",IF(OR(AND(C10>=0,D10<0),AND(C10<0,D10<0)),-E10/D10,E10/D10))

B	C	D	E	F
	台北有限公司			
	2014年3月			
	損益表			
科目名稱	三月金額	二月金額	兩期差異	%
銷貨收入小計	49,000	35,000	14,000	40%
銷貨收入 - A	20,000	40,000	(20,000)	-50%
銷貨收入 - B	30,000	0	30,000	NA
銷貨收入 - C	(5,000)	5,000	(10,000)	-200%
銷貨收入 - D	5,000	(5,000)	10,000	200%
銷貨收入 - E	(1,000)	(5,000)	4,000	80%

7 講完公式，再講講格式。報表跑出來的百分比若是負數，呈現格式是前面加個減字負號（-200%），並非會計人習慣的括號負數（(200%)）。這是 Excel 預設的百分比格式，想要有所變化，只能量身訂作，也就是先前章節提到數值格代碼。按下快速鍵「Ctrl+1」，出現的「儲存格格式」視窗顯示目前的格式為「0%」。

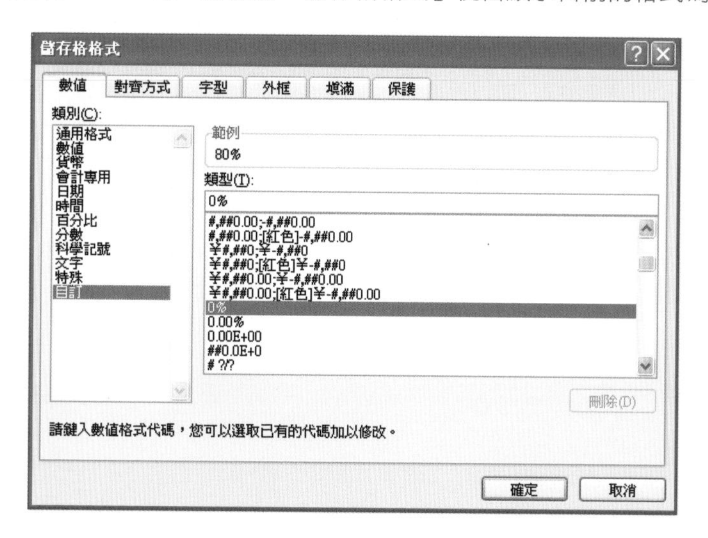

8 直接於視窗欄位修改：「0% ;[紅色] (0%)」，數值定義格式有四個區塊：「A;B;C;D」，A 為正數格式、B 為負數格式、C 為零格式、D 為文字格式，省略代表不作特別規定，系統會依照預設值顯示。「0% ;[紅色] (0%)」代表正數時顯示正常百分比符號，負數時顯示紅色字體並加括號。

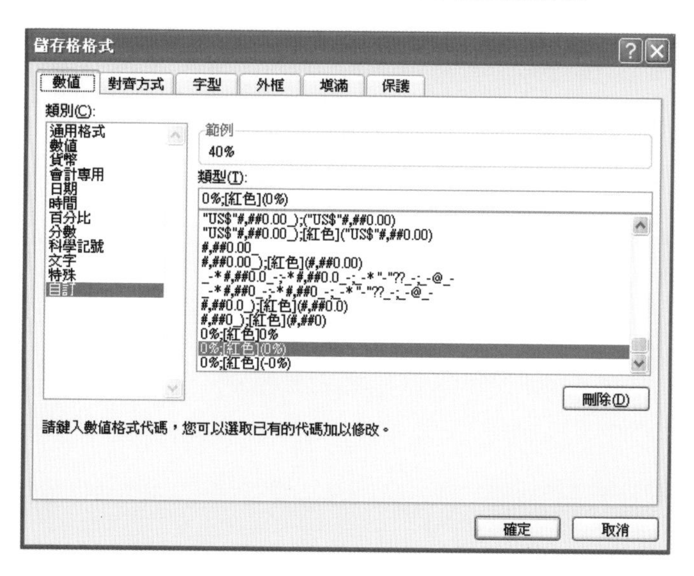

9 修改完格式，按「確定」，百分比格式果然已經改變。

科目名稱	三月金額	二月金額	兩期差異	%
銷貨收入小計	49,000	35,000	14,000	40%
銷貨收入 - A	20,000	40,000	(20,000)	(50%)
銷貨收入 - B	30,000	0	30,000	NA
銷貨收入 - C	(5,000)	5,000	(10,000)	(200%)
銷貨收入 - D	5,000	(5,000)	10,000	200%
銷貨收入 - E	(1,000)	(5,000)	4,000	80%

3.4 報表金額為零的隱藏

一套成熟的 ERP 系統，只要是資料庫裡儲存確認過的資料，都可以彙總出報表，而且具備客製化功能，能夠修改系統預設的報表欄位、自訂新的報表格式、設定報表擷取資料的篩選條件，甚至是自定義單據輸入時的功能按鈕。不過，雖然系統報表自由度高，但公司資訊人員的時間有限，有些修改過於細枝末節，財務人員也不方便提出客製化需求，所以很多時候，還是要自己手動修改系統報表。除此之外，會計師事務所查帳時，客戶所提供的 PBC 資料，通常不是很合用，查帳員得自行再整理一番。

諸如上述此類情況，自己動手「客製化」報表的情形所在多有，對於 Excel 生手而言，這是件苦差事，對於熟手而言，這正是腦力激盪的時候，戲法人人會變，巧妙各有不同，然而結果都是一樣：善用 Excel 小技巧，事半功倍。

在此介紹一個實務上案例：系統跑出來的多期比較損益表，很多會科當期並無交易金額，但是仍然掛在報表上，看起來不但累贅，分析和列印時也是白費空間。

針對這情形，有兩個處理方法，一個是很直覺地把皆為零的行列隱藏掉，另一個，則是一勞永逸把不具分析意義的行列砍掉。兩種方法都值得參考學習，因為戲法是越多越好，可視情況選擇較為合適的處理方式。

這一節，先介紹隱藏作法如下：

1 系統跑出來的報表，有很多兩期皆為零的會計科目，如下圖標示黃色部份。

	A	B	C	D	E
1	台北有限公司				
2	2016年2月				
3	損益表				
4	科目名稱	二月金額	一月金額	本年累計	兩期差異
5	管理費用	190,000	150,000	340,000	40,000
6	管-薪資	100,000	80,000	180,000	20,000
7	管-獎金	0	0	0	0
8	管-車輛費	0	20,000	20,000	(20,000)
9	管-水電費	60,000	50,000	110,000	10,000
10	管-保險費	30,000	0	30,000	30,000
11	管-稅捐	0	0	0	0
12	管-修繕費	0	0	0	0

2. 想要去掉零的第一個方法是篩選，將游標指在欄位列（第四列），點選「資料」頁籤的「篩選」，可以看到第四列出現了下拉三角形。

3. 點選二月金額儲存格的篩選盒子，指向「數字篩選」>「不等於」。

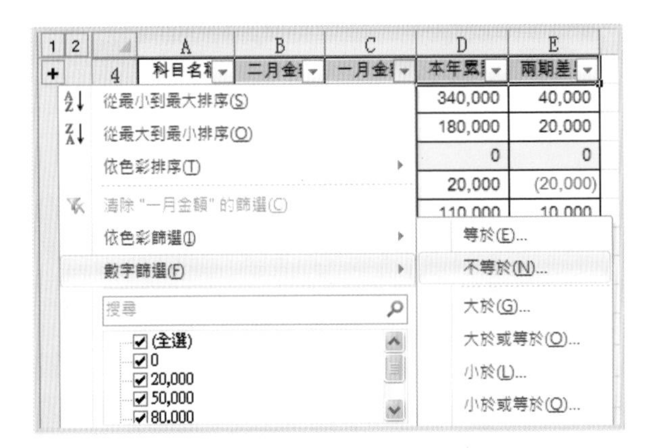

4. 在跳出來的視窗輸入 0，然後按「確定」。

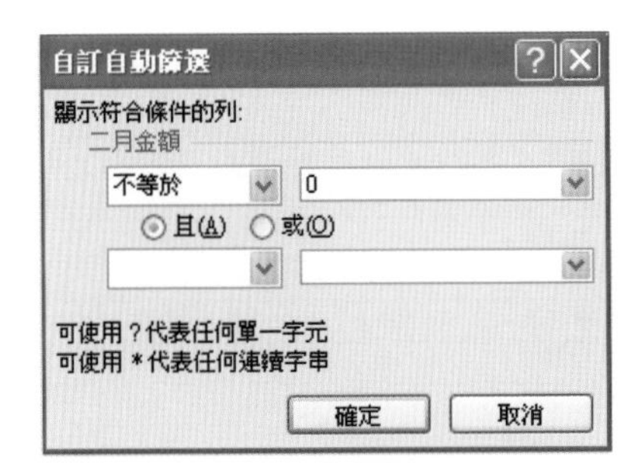

5 仔細一看，發現二月金額為零的會科，都已經被隱藏了，但是其中也包括「管－車輛費」，這個會科雖然二月為零，但它一月卻是有金額，照道理不應該隱藏的。

	A	B	C	D	E
4	科目名稱	二月金額	一月金額	本年累計	兩期差異
5	管理費用	190,000	150,000	340,000	40,000
6	管-薪資	100,000	80,000	180,000	20,000
9	管-水電費	60,000	50,000	110,000	10,000
10	管-保險費	30,000	0	30,000	30,000

6 因為有當月金額為零、其他月份金額不為零的情形，為了避免不當隱藏資料，有必要再加個判斷式，找出全部為零的會科，輸入公式：「=IF(SUM(C2:F2)=0,0,"")」，將這個公式下拉，如圖所示，可以看到標黃色的會科，都顯示為零了。

=IF(SUM(C2:F2)=0,0,"")

B	C	D	E	F	G
科目名稱	二月金額	一月金額	本年累計	兩期差異	
管理費用	190,000	150,000	340,000	40,000	
管-薪資	100,000	80,000	180,000	20,000	
管-獎金	0	0	0	0	0
管-車輛費	0	20,000	20,000	(20,000)	
管-水電費	60,000	50,000	110,000	10,000	
管-保險費	30,000	0	30,000	30,000	
管-稅捐	0	0	0	0	0
管-修繕費	0	0	0	0	0

7 按快速鍵「Ctrl+A」，選取所有報表範圍，設置篩選，點擊 G1 儲存格的篩選三角形，跳出篩選視窗，有「0」和「(空格)」兩個可以選。在公式欄點擊篩選盒子，篩選出零的部份，這些就是所有期別皆為零的會科列。

B	C
科目名稱	二月金額
管理費用	190,
管-薪資	100,
管-獎金	
管-車輛費	
管-水電費	60,
管-保險費	30,
管-稅捐	
管-修繕費	

從 A 到 Z 排序(S)
從 Z 到 A 排序(O)
依色彩排序(T)
清除 "(欄 G)" 的篩選(C)
依色彩篩選(I)
文字篩選(F)
搜尋
(全選)
0
(空格)
確定 取消

8 按一下「0」前面的勾勾，將它取消掉，再按「確定」。經過如此篩選之後，即能成功隱藏報表數字為零的會科了。

	A	B	C	D	E	F
1	科目名稱	二月金額	一月金額	本年累計	兩期差異	
2	管理費用	190,000	150,000	340,000	40,000	
3	管-薪資	100,000	80,000	180,000	20,000	
5	管-車輛費	0	20,000	20,000	(20,000)	
6	管-水電費	60,000	50,000	110,000	10,000	
7	管-保險費	30,000	0	30,000	30,000	

透過上述步驟，對於 Excel 篩選功能的操作，應該都已經有了初步的基礎。在一個資料龐大的明細報表裡，要擷取出符合某些特殊條件的數據，最簡便直接的 Excel 技巧便是篩選了。

在這一節中，單純是以打勾、取消打勾的方式，依照儲存格內容篩選，但隨著 Excel 不斷改版擴充，現在已經能依照色彩、計算式篩選，其中計算式還支持「且」和「或」的兩個邏輯判斷，並且可以用單一（？）和連續（＊）萬用字元。這一節先介紹基本篩選，以後如果有適當範例，再介紹較為高階的篩選應用。

3.5 報表金額為零的刪除

上一節提到如何將報表金額為零的隱藏，實際操作上，篩選隱藏雖然方便，此種方法還是少用為妙，特別是要儲存保留的檔案。因為即使隱藏，那些資料終究還在，而會計人習慣加總報表金額，再和其他來源的總金額核對。我自己有過幾次經驗，報表總金額核對不一致，查找了一會兒，才發現差異是因為隱藏了部份資料。而且在編製報表當下，會很清楚隱藏了什麼，但是時間一久，日後再打開或者別人打開檔案，可能就不知道到底隱藏了什麼。

綜上所述，與其隱藏，不如整批移動到其他地方，甚至假如隱藏的資料沒有用處，最好直接刪除，保持報表乾乾淨淨的。以下介紹操作流程：

1. 延續上一節範例，報表已將金額為零的隱藏。仔細看左邊行編號：「1、2、3、5、6、7、10」表示有「4、8、9」被隱藏了。

	A	B	C	D	E	F
1	科目名稱	二月金額	一月金額	本年累計	兩期差異	
2	管理費用	190,000	150,000	340,000	40,000	
3	管-薪資	100,000	80,000	180,000	20,000	
5	管-車輛費	0	20,000	20,000	(20,000)	
6	管-水電費	60,000	50,000	110,000	10,000	
7	管-保險費	30,000	0	30,000	30,000	

2. 想要直接刪除被隱藏的資料，必須反向操作，先將被隱藏資料顯示出來，所以改成篩選出零的明細，具體作法可參考上一節說明，在此不贅述。

	A	B	C	D	E	F
1	科目名稱	二月金額	一月金額	本年累計	兩期差異	
4	管-獎金	0	0	0	0	0
8	管-稅捐	0	0	0	0	0
9	管-修繕費	0	0	0	0	0

3 選取這些會科列，按快速鍵 F5 調用定位「到」功能，點取「特殊」。

4 在跳出來的「特殊目標」視窗中，勾選「可見儲存格」，按「確定」。

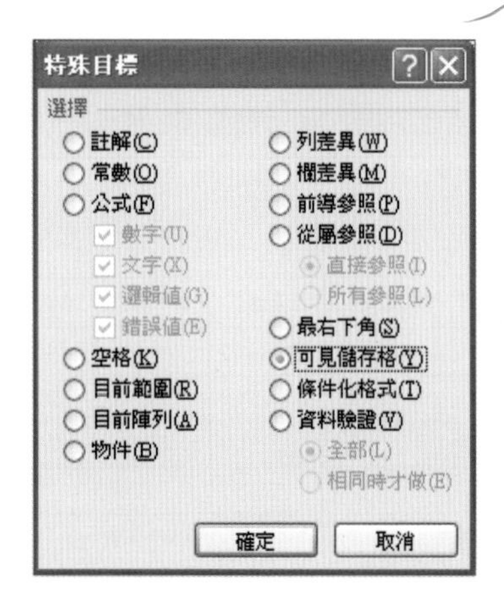

5 在特殊選取的範圍上，按滑鼠右鍵，在跳出來的快速鍵清單中，點擊「刪除列」。

6 刪除之後，清除篩選，顯示非為零的明細，而且仔細看，左邊行編號為連續編號，表示原來的零行列（4、8、9）都被刪除了。反向思考，如果沒有前面步驟定位可見儲存格，冒然刪除的話，會把隱藏和沒隱藏的資料一起刪了。

	A	B	C	D	E	F
1	科目名	二月金	一月金	本年累	兩期差	
2	管理費用	190,000	150,000	340,000	40,000	
3	管-薪資	100,000	80,000	180,000	20,000	
4	管-車輛費	0	20,000	20,000	(20,000)	
5	管-水電費	60,000	50,000	110,000	10,000	
6	管-保險費	30,000	0	30,000	30,000	
7						
8						
9						

7 如果資料很重要，不適合刪除，另一種作法是先篩選出不為零的明細。

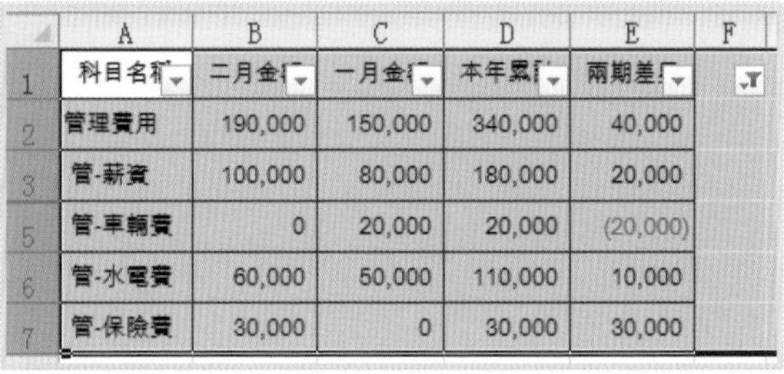

	A	B	C	D	E	F
1	科目名	二月金	一月金	本年累	兩期差	
2	管理費用	190,000	150,000	340,000	40,000	
3	管-薪資	100,000	80,000	180,000	20,000	
5	管-車輛費	0	20,000	20,000	(20,000)	
6	管-水電費	60,000	50,000	110,000	10,000	
7	管-保險費	30,000	0	30,000	30,000	

8 重複前面第三第四步驟，定位目前所見資料，一樣在特殊選取的範圍上，按滑鼠右鍵，不過這次，在跳出來的快速鍵清單中，點擊「複製」。

A1

	A	B
1	科目名	二月金
2	管理費用	190,000
3	管-薪資	100,000
5	管-車輛費	0
6	管-水電費	60,000
7	管-保險費	30,000

剪下(T)
複製(C)
貼上選項:
選擇性貼上(S)...
插入列(I)
刪除列(D)
清除內容(N)

9 在同一工作表其他位置，或者在新的工作表上，按快速鍵「Ctrl+V」貼上，成功複製不為零的明細，而且是沒有任何隱藏、非常乾淨的報表。

	A	B	C	D	E
1	科目名稱	二月金額	一月金額	本年累計	兩期差異
2	管理費用	190,000	150,000	340,000	40,000
3	管-薪資	100,000	80,000	180,000	20,000
4	管-車輛費	0	20,000	20,000	(20,000)
5	管-水電費	60,000	50,000	110,000	10,000
6	管-保險費	30,000	0	30,000	30,000
7	(Ctrl)				

這一節特別花了些步驟，介紹如何刪除被隱藏的資料，或者是直接複製貼上不含隱藏的資料。雖然表面上看起來，和上一節篩選隱藏後的報表一樣，但是沒有隱藏的報表比較乾淨，日後比較不會造成錯誤。

會計人每天要處理的報表數據很多，每一個細節都要小心，儘量避免留下風險因子，所以不要隱藏資料，是一個比較好的習慣。

VLOOKUP 函數應用

4.1 兩套帳本傳票核對

4.2 交叉核對報表明細

4.3 查找存貨料號分類

4.4 文字數值格式轉換

4.5 合併欄位排序搜尋

4.1 兩套帳本傳票核對

由於會計原則和稅法規定不同，通常會有財稅差。在 ERP 系統裡，實務作法是保持兩套帳本，每天做的一般傳票做在財帳，每月結完帳，除了將財帳所有傳票拋到稅帳，針對財稅差的部份，再直接在稅帳做傳票，然後依照稅帳報表作稅務申報。除此之外，財帳的部份，是作為集團合併報表資料，有些簽證會計師的調整分錄，會單獨做在財帳，不會複製到稅帳。

兩套帳之間的差異應該清清楚楚，有原因有明細，然而因為人員交接、工作繁忙、錯帳疏漏等種種因素，有可能到最後對不起來，需要查找差異明細，才能進而更正帳冊，在此介紹方法：

1. 財帳：標黃色部份是會計師審計調整，這是財帳有但稅帳沒有的傳票分錄。

	A	B	C	D	E	F
1	財帳：					
2	傳票編號	科目名稱	摘要	借方	貸方	餘額
3	1407001	應收帳款	客戶甲七月份應收帳款	5,000		5,000
4	1407001	應收帳款	客戶甲七月份應收帳款	4,000		9,000
5	1407002	應收帳款	客戶乙七月份應收帳款	2,000		11,000
6	1407002	應收帳款	客戶乙七月份應收帳款	1,000		12,000
7	1408001	應收帳款	收到客戶甲十月份貨款		3,000	9,000
8	1408001	應收帳款	收到客戶甲十月份貨款		3,000	6,000
9	1408002	應收帳款	收到客戶乙十月份貨款		2,000	4,000
10	1408003	應收帳款	收到客戶丙十月份貨款		1,000	3,000
11	1408004	應收帳款	會計師審計調整		1,000	2,000

2. 稅帳：標藍色部份是依稅法規定的財稅差調整：已出貨未開立發票金額，這是稅帳有但財帳沒有的傳票分錄。

	A	B	C	D	E	F
1	稅帳：					
2	傳票編號	科目名稱	摘要	借方	貸方	餘額
3	1407001	應收帳款	客戶甲七月份應收帳款	5,000		5,000
4	1407001	應收帳款	客戶甲七月份應收帳款	4,000		9,000
5	1407002	應收帳款	客戶乙七月份應收帳款	2,000		11,000
6	1407002	應收帳款	客戶乙七月份應收帳款	1,000		12,000
7	1407003	應收帳款	已出貨未開立發票調整		3,000	9,000
8	1408001	應收帳款	收到客戶甲十月份貨款		3,000	6,000
9	1408001	應收帳款	收到客戶甲十月份貨款		3,000	3,000
10	1408002	應收帳款	收到客戶乙十月份貨款		2,000	1,000
11	1408003	應收帳款	收到客戶丙十月份貨款		1,000	-

3 傳票有借方貸方，在 Excel 分別是不同欄位，雖然看起來清楚，可是對於資料整理而言，卻很麻煩。所以最好是後面再加一欄交易金額：「D3－E3」，將借（正）貸（負）整合在一起，方便進行篩選、排序、查找、樞紐等 Excel 操作。

F2 =D2-E2

	A	B	C	D	E	F
1	傳票編號	科目名稱	摘要	借方	貸方	交易金額
2	1407001	應收帳款	客戶甲七月份應收帳款	5,000		5,000
3	1407001	應收帳款	客戶甲七月份應收帳款	4,000		4,000
4	1407002	應收帳款	客戶乙七月份應收帳款	2,000		2,000
5	1407002	應收帳款	客戶乙七月份應收帳款	1,000		1,000
6	1408001	應收帳款	收到客戶甲十月份貨款		3,000	(3,000)
7	1408001	應收帳款	收到客戶甲十月份貨款		3,000	(3,000)
8	1408002	應收帳款	收到客戶乙十月份貨款		2,000	(2,000)
9	1408003	應收帳款	收到客戶丙十月份貨款		1,000	(1,000)
10	1408004	應收帳款	會計師審計調整		1,000	(1,000)

4 輸入公式：「=VLOOKUP(A3, 稅帳 !$A$3:$F$11,6,0)」。這個函數有四個引數：「A3」表示想搜尋的值，「稅帳 !$A$3:$F$12」是搜尋範圍，「6」表示如果搜尋範圍第一欄（A 欄）裡和搜尋值一致，那麼傳回同一列第六欄（F 欄）的儲存格內容，「0」是邏輯值 FALSE，表示要完全一致再傳回。（「1」是邏輯值 TRUE，表示只找出最接近的值即可，通常會設為「0」，因為要搜尋一模一樣的值）

G11 欄顯示為「#N/A」，表示在稅帳 A3:F12 的第一欄 A 欄中，找不到傳票編號「1408004」，因為這是財帳才有的傳票，稅帳沒有。其他 G 欄的 VLOOKUP 公式都有傳回值，表示相對應的傳票編號稅帳都有。

G3 =VLOOKUP(A3,稅帳!$A$3:$F$11,6,0)

	A	B	C	D	E	F	G
1	財帳：						
2	傳票編號	科目名稱	摘要	借方	貸方	交易金額	核對稅帳
3	1407001	應收帳款	客戶甲七月份應收帳款	5,000		5,000	5,000
4	1407001	應收帳款	客戶甲七月份應收帳款	4,000		4,000	5,000
5	1407002	應收帳款	客戶乙七月份應收帳款	2,000		2,000	2,000
6	1407002	應收帳款	客戶乙七月份應收帳款	1,000		1,000	2,000
7	1408001	應收帳款	收到客戶甲十月份貨款		3,000	(3,000)	(3,000)
8	1408001	應收帳款	收到客戶甲十月份貨款		3,000	(3,000)	(3,000)
9	1408002	應收帳款	收到客戶乙十月份貨款		2,000	(2,000)	(2,000)
10	1408003	應收帳款	收到客戶丙十月份貨款		1,000	(1,000)	(1,000)
11	1408004	應收帳款	會計師審計調整		1,000	(1,000)	#N/A

5 輸入函數公式時，在資料編輯左邊有個「fx」，點擊會出現該函數引數的輔助視窗，其中有每個引數的文字說明，也可以直接在此邊參照說明、邊輸入公式。

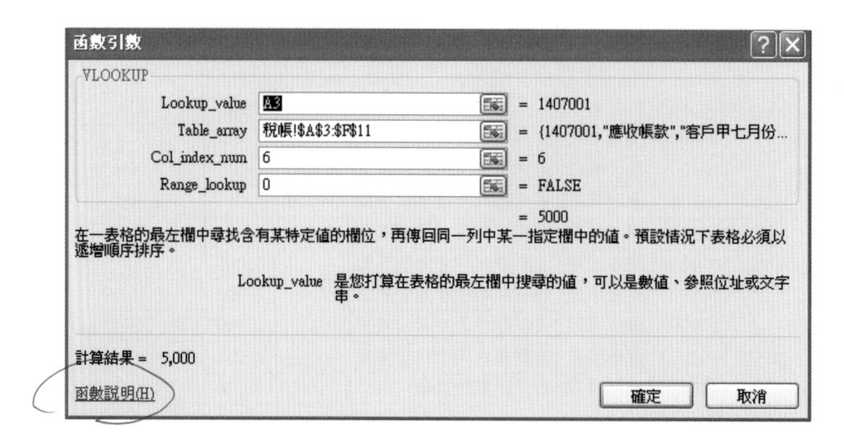

6 仔細看函數引數的輔助視窗，左下角有個「函數說明」，點選之後會跳出微軟官方的 Excel 函數說明。遇到任何不太清楚的 Excel 函數，都可以藉助函數引數視窗和函數說明，這部份微軟做得不錯，說明很清楚詳盡，還有範例。

7 同樣方式，可以找出稅帳有、財帳沒有的傳票：「=VLOOKUP(A7, 財帳 !$A$3:$F$11,6,0)」。

G7 =VLOOKUP(A7,財帳!$A$3:$F$11,6,0)

	A	B	C	D	E	F	G
1	稅帳：						
2	傳票編號	科目名稱	摘要	借方	貸方	交易金額	核對財帳
3	1407001	應收帳款	客戶甲七月份應收帳款	5,000		5,000	5,000
4	1407001	應收帳款	客戶甲七月份應收帳款	4,000		4,000	5,000
5	1407002	應收帳款	客戶乙七月份應收帳款	2,000		2,000	2,000
6	1407002	應收帳款	客戶乙七月份應收帳款	1,000		1,000	2,000
7	1407003	應收帳款	已出貨未開立發票調整		3,000	(3,000)	#N/A
8	1408001	應收帳款	收到客戶甲十月份貨款		3,000	(3,000)	(3,000)
9	1408001	應收帳款	收到客戶甲十月份貨款		3,000	(3,000)	(3,000)
10	1408002	應收帳款	收到客戶乙十月份貨款		2,000	(2,000)	(2,000)
11	1408003	應收帳款	收到客戶丙十月份貨款		1,000	(1,000)	(1,000)

無論是查帳員或是會計人，工作上經常要核對帳務，針對兩份報表明細，找出有差異的地方，在這時候最常用到的函數便是 VLOOKUP。本章節所分享的是最簡單、最基礎的範例，實務上可能需要將兩個欄位合併查找，可能需要先跑樞紐彙總再查找，也可能想讓查找結果更具有閱讀性，諸此種種，會在以後章節詳加介紹。

4.2 交叉核對報表明細

從事會計工作，常常有需要就兩個報表之間，核對金額是否一致。首先總金額要一樣，總金額如果不同，必須找出到底是哪幾筆有差異，才能進一步瞭解差異原因，看要怎麼修正。例如上一節介紹的，企業有財帳、稅帳兩套帳，兩套帳之間核對明細分類帳的差異，又例如企業已導入 ERP，依照作業流程，總帳傳票都是由子系統拋轉，子系統跟總帳應該都會一致。可是，沒有確實核對過，難保不會出差錯，會計人特質便是細心又有耐心，魔鬼出在細節裡，要保證帳務品質，就要多設計一些勾稽檢查的流程。對於 ERP 運作成熟的企業，其中有一道會計檢查工序，一定是子系統和總帳之間的核對，以下介紹：

1 簡化的收入傳票明細帳。

	A	B	C	D	E
1	傳票編號	科目名稱	摘要	借方	貸方
2	JA-1602001	銷貨收入	二月出貨	1,000	
3	JA-1602002	銷貨收入	二月出貨	2,000	
4	JA-1602003	銷貨收入	二月出貨	3,000	
5	JA-1602004	銷貨收入	二月出貨	4,000	
6	JA-1602005	銷貨收入	二月出貨	5,000	
7	JA-1602006	銷貨收入	二月出貨		1,000

2 也是簡化的應收帳款明細。由應收系統裡一筆一筆的應收憑單組成，正常收入傳票皆由應收憑單拋轉到總帳，所以每個帳款編號，都有相對應的傳票編號。

	A	B	C	D
1	客戶簡稱	帳款編號	傳票編號	金額
2	甲	SA-1602001	JA-1602002	2,500
3	甲	SA-1602002	JA-1602003	3,000
4	乙	SA-1602003	JA-1602004	4,000
5	乙	SA-1602004	JA-1602005	5,000
6	丙	SB-1602001	JA-1602006	1,000
7	丙	SA-1602005	JA-1602007	6,000

3 兩個報表間的連結是傳票編號，所以第一步就是要依據總帳明細裡的傳票，查找在應收系統是否有相同的傳票編號，如果找不到，代表總帳有子系統沒有，這筆總帳有可能是總帳直接輸入的。此情況即可使用會計人最常用的查找函數公式：「=VLOOKUP(B2, 帳款!$C$2:$C$7,1,0)」。

=VLOOKUP(B2,帳款!$C$2:$C$7,1,0)

B	C	D
傳票編號	帳款核對	科目名稱
JA-1602001	#N/A	銷貨收入
JA-1602002	JA-1602002	銷貨收入
JA-1602003	JA-1602003	銷貨收入
JA-1602004	JA-1602004	銷貨收入
JA-1602005	JA-1602005	銷貨收入
JA-1602006	JA-1602006	銷貨收入

4 然後在應收帳款明細，同樣公式可以找出子系統有、總帳系統沒有的傳票：「=VLOOKUP(D7, 傳票!$A$2:$A$7,1,0)」，通常這種情形表示有應收帳款沒有拋轉到總帳，也就是遺漏了立帳。

=VLOOKUP(D7,傳票!$A$2:$A$7,1,0)

D	E	F
傳票編號	金額	拋轉核對
JA-1602002	2,500	JA-1602002
JA-1602003	3,000	JA-1602003
JA-1602004	4,000	JA-1602004
JA-1602005	5,000	JA-1602005
JA-1602006	1,000	JA-1602006
JA-1602007	6,000	#N/A

5 通常這類 VLOOKUP 公式，只要稍加潤飾，顯示的結果會較具有可閱讀性，以上個步驟為例：「=IFERROR(VLOOKUP(D7, 傳票 !$A$2:$A$7,1,0)," 此帳款未拋轉傳票 ")」，意思是如果找不到（IFERROR 函數），不要顯示 Excel 語言（#N/A），改成淺顯易懂的「此帳款未拋轉傳票」。

fx =IFERROR(VLOOKUP(D7,傳票!$A$2:$A$7,1,0),"此帳款未拋轉傳票")

傳票編號	金額	拋轉核對
JA-1602002	2,500	JA-1602002
JA-1602003	3,000	JA-1602003
JA-1602004	4,000	JA-1602004
JA-1602005	5,000	JA-1602005
JA-1602006	1,000	JA-1602006
JA-1602007	6,000	此帳款未拋轉傳票

6 先前的查找方式有個盲點，只交叉核對了兩邊傳票的有無情形，對於傳票的金額，卻沒有核對。因為也有可能，同樣一個傳票編號，在子系統是一個金額，在總帳卻是另一個金額，所以函數公式必須修改：「=VLOOKUP(D2, 傳票 !$A$2:$D$7,4,0)−E2」，如此一來，便可以發現傳票編號「JA−1602002」的金額，在子系統和總帳的金額是不一致的，必須再進一步追查原因。

fx =VLOOKUP(D2,傳票!$A$2:$D$7,4,0)-E2

傳票編號	金額	拋轉核對2
JA-1602002	2,500	(500)
JA-1602003	3,000	0
JA-1602004	4,000	0
JA-1602005	5,000	0
JA-1602006	1,000	(1,000)
JA-1602007	6,000	#N/A

7 上個步驟還有個問題，如果是折讓的應收帳款（單別「SB」），因為是負數應收，傳票會做在貸方，依照這個範例，如果希望一套公式拉到底，還要再稍加修改：「=IF(LEFT(C6,2)="SB",VLOOKUP(D6, 傳票 !$A$2:$E$7,5,0), VLOOKUP(D6, 傳票 !$A$2:$D$7,4,0))−E6」在前面加個條件式，如果是折讓應收帳款（單別為 SB），要核對的是傳票貸方而非借方。

fx =IF(LEFT(C6,2)="SB",VLOOKUP(D6,傳票!$A$2:$E$7,5,0),VLOOKUP(D6,傳票!$A$2:$D$7,4,0))-E6

D	E	F	G
傳票編號	金額	拋轉核對2	
JA-1602002	2,500	(500)	
JA-1602003	3,000	0	
JA-1602004	4,000	0	
JA-1602005	5,000	0	
JA-1602006	1,000	0	
JA-1602007	6,000	#N/A	

這一節和上一節相同，都是在查找兩個報表之間的差異，不過這一節配合較為複雜的範例，多應用了 IFERROR 函數改變錯誤訊息的提示文字、由查找傳票編號改為更進一步的查找傳票金額、最後還加了一個判斷單別的條件式。凡此種種，都是為了讓公式偵錯功能更加完整，因為範例筆數少，一看便能抓出錯誤，實務工作上，可能有上百上千筆的資料，如果能因應實際狀況，設置好公式，可以大為提升效率並減少錯誤風險。

4.3 查找存貨料號分類

公司收入來源是銷售存貨，因此存貨可說是公司最重要的資產，對於存貨管理的第一步，就是依照一定的編碼原則為所有存貨編列料號。財務部成本會計人員對於存貨編碼原則必須非常熟悉，實務工作上，無論是內部管理或外部審計，常常需要以存貨分類進行分析。可是，有時候原始報表只有料號，沒有分類，必須自行依照料號帶出分類，接著才能彙總整理。以下介紹 VLOOKUP 函數在這個過程中的妙用：

1. 入庫明細表：為了方便說明，省略了品名、單位⋯等欄位，也減少了筆數，實務上系統跑出來的存貨報表，通常筆數會非常多。

	A	B	C	D
1	入庫日	料號	入庫數	總金額
2	1-10	A1001	1,000	10,000
3	1-10	A2001	1,000	10,000
4	1-20	B2001	2,000	20,000
5	1-20	B3003	2,000	20,000
6	1-30	C3004	3,000	30,000
7	1-30	C1002	3,000	30,000

2. 存貨編碼原則：第一碼是會科，第二碼則是依據各會科分別展開的性質分類，後面三碼是沒有特別意義的流水編號，總共存貨有五碼。

	A	B	C	D	E	F	G	H
1	會科	分類	製成品	分類	半成品	分類	原料	分類
2	A	製成品	1	一層櫃	1	把手	1	柚木
3	B	半成品	2	二層櫃	2	夾層	2	樟木
4	C	原料	3	三層櫃	3	外板	3	合板

3. 既然第一碼是會科，可利用 LEFT 函數，取左邊算來第一碼，公式為：「=LEFT(B2,1)」。除了 LEFT 是取左邊字元的函數應用之外，還有 RIGHT 及 MID 函數，用法類似，視情況需要可以使用不同的函數。

C2	fx =LEFT(B2,1)				
	A	B	C	D	E
1	入庫日	料號	第一碼	入庫數	總金額
2	1-10	A1001	A	1,000	10,000
3	1-10	A2001	A	1,000	10,000
4	1-20	B2001	B	2,000	20,000
5	1-20	B3003	B	2,000	20,000
6	1-30	C3004	C	3,000	30,000
7	1-30	C1002	C	3,000	30,000

4 輸入公式：「=VLOOKUP(D2, 分類 !$A$2:$B$4,2,0)」。Excel 便會依照分類原則，傳回存貨會科。這裡的搜尋範圍輸入「分類 !$A$2:$B$4」和「分類 !A:B」，兩者同樣效果。「分類 !$A$2:$B$4」是將範圍鎖住，非常精準，最節省 Excel 運算資源，「分類 !A:B」會搜尋整個工作表兩個欄位，非常耗費資源，可是在某些情況下，例如欄位資料會持續更新增補，卻是相當方便。

fx =VLOOKUP(D2,分類!$A$2:$B$4,2,0)

B	C	D	E
入庫日	料號	第一碼	會科
1-10	A1001	A	製成品
1-10	A2001	A	製成品
1-20	B2001	B	半成品
1-20	B3003	B	半成品
1-30	C3004	C	原料
1-30	C1002	C	原料

5 將取第一碼和查找分類的公式合併：「=VLOOKUP(LEFT(C2,1), 分類 !$A$2:$B$4,2,0)」，如此公式雖較為複雜，但報表看起來會更簡潔。

fx =VLOOKUP(LEFT(C2,1),分類!$A$2:$B$4,2,0)

B	C	D	E	F
入庫日	料號	會科	入庫數	總金額
1-10	A1001	製成品	1,000	10,000
1-10	A2001	製成品	1,000	10,000
1-20	B2001	半成品	2,000	20,000
1-20	B3003	半成品	2,000	20,000
1-30	C3004	原料	3,000	30,000
1-30	C1002	原料	3,000	30,000

6 接下來，存貨第一碼有三種會科分類，而根據會科不同又有各自的性質分類。以製成品而言，有一層櫃、二層櫃、三層櫃的區別，假設現在情況單純，只需顯示製成品的性質分類，就只需要一個若 P 則 Q 的判斷式，輸入公式：「=IF(LEFT(C2,1)="A",VLOOKUP(VALUE(MID(C2,2,1)), 分類 !$C$2:$D$4,2,0), " 非成品 ")」表示如果存貨第一碼是 A（製成品）(IF(LEFT(C2,1)="A"))，讓 Excel 依照存貨第二碼的值（VALUE(MID (C2,2,1)))，傳回製成品的性質分類，否則的話（存貨第一碼並非 A），顯示「" 非成品 "」，結果如圖所示。

fx =IF(LEFT(C2,1)="A",VLOOKUP(VALUE(MID(C2,2,1)),分類!$C$2:$D$4,2,0),"非成品")

B	C	D	E	F	G
1-10	A1001	一層櫃	1,000	10,000	
1-10	A2001	二層櫃	1,000	10,000	
1-20	B2001	非成品	2,000	20,000	
1-20	B3003	非成品	2,000	20,000	
1-30	C3004	非成品	3,000	30,000	
1-30	C1002	非成品	3,000	30,000	

7 IF 函數可以多層次判斷，如果想要若 P 則 Q 則 R 則 S 則 T 套用下去，簡單的公式結構為 IF(P,Q,IF(R,S,T))。在這一章節的範例中，想得到各個存貨料號的性質分類，最終公式為：「=IF(LEFT(C2,1)="A",VLOOKUP(VALUE(MID(C2,2,1)), 分類 !$C$2:$D$4,2,0),IF(LEFT(C2,1)="B",VLOOKUP(VALUE(MID(C2,2,1)), 分類 !$E$2:$F$4,2,0),VLOOKUP(VALUE(MID(C2,2,1)), 分類 !$G$2:$H$4,2,0)))」。

fx =IF(LEFT(C2,1)="A",VLOOKUP(VALUE(MID(C2,2,1)),分類!$C$2:$D$4,2,0),IF(LEFT(C2,1)="B",VLOOKUP(VALUE(MID(C2,2,1)),分類!$E$2:$F$4,2,0),VLOOKUP(VALUE(MID(C2,2,1)),分類!$G$2:$H$4,2,0)))

B	C	D	E	F
入庫日	料號	會科	入庫數	總金額
1-10	A1001	一層櫃	1,000	10,000
1-10	A2001	二層櫃	1,000	10,000
1-20	B2001	夾層	2,000	20,000
1-20	B3003	外板	2,000	20,000
1-30	C3004	合板	3,000	30,000
1-30	C1002	柚木	3,000	30,000

前面兩節在核對差異時，都是利用 VLOOKUP 搜尋不到的情況，然而究其本質，VLOOKUP 函數原始功能是依照特定條件，搜尋查找後傳回相對應的值，重點是找到了什麼，而不是沒有找到，本節重點即是介紹如何運用 VLOOKUP 的查找功能。實際操作之後，應該能夠體會 VLOOKUP 達到的是橋樑作用，在兩份資料之間，利用共同具備的屬性，將數據串起來，使得原來的報表更加完整。掌握了這個特性，便可以善加利用，你會發現 VLOOKUP 函數在會計工作上具有非常大的實用性。

4.4 文字數值格式轉換

有個會計實務案例，需要將成本分攤率的設置，由原本系統直接計算，改成手工修改再匯入系統，資訊人員先匯出一個 Excel 範本，這是系統可以讀取的格式，內容為原本的分攤設置，會計人員必須依照匯出來的格式修改好，交給資訊部門再匯入系統，如此便更新了系統的分攤設置。但作業中遇到了困難，Excel 範本的部門編號是文字格式，而為了方便設置分攤率，想要將部門名稱以 VLOOKUP 函數引用過來，無奈文字和數值的格式有問題，抓取不到，這時候必須變更格式，以下介紹：

1 資訊部門匯出來的格式範本，有年度、月份、部門編號、會計科目等欄位。

	A	B	C	D	E	F
1	年度	月份	部門編號	會計科目	成本中心	分攤率
2	2015	1	110	5101	X	0.167
3	2015	1	110	5102	X	0.167
4	2015	1	120	5101	X	0.200
5	2015	1	120	5102	X	0.200
6	2015	1	140	5104	T	0.200
7	2015	1	140	5103	T	0.200

2 範本裡只有部門編號，要依照部門重新分配成本分攤率，為了作業方便，想把部門名稱帶出來，就要先整理一份所有部門的代碼名稱對照表。

	A	B
1	部門代碼	部門名稱
2	110	A
3	120	B
4	130	C
5	140	D
6	150	E

3 像這種狀況，最適合函數非 VLOOKUP 莫屬，拉好公式：「=VLOOKUP(D2,部門!$A$2:$C$6,2,0)」，卻發現無效，明明部門編號相符，可是卻顯示：「#N/A」，表示是此題無解。

fx =VLOOKUP(D2,部門!$A$2:$B$6,2,0)

B	C	D	E
年度	月份	部門編號	部門名稱
2015	1	110	#N/A
2015	1	110	#N/A
2015	1	120	#N/A
2015	1	120	#N/A
2015	1	140	#N/A
2015	1	140	#N/A

4 仔細看，儲存格左上角有個綠三角形，將滑鼠點到儲存格，會出現驚嘆號，並且有一行浮窗說明：「此儲存格內的數字其格式為文字或開頭為單引號」，可以再點一下「關於這個錯誤的說明」。

B	C	D	E
年度	月份	部門編號	部門名稱
2015		110	#N/A
2015			
2015			
2015			
2015			
2015			

數值儲存成文字
轉換成數字(C)
關於這個錯誤的說明(H)
忽略錯誤(I)
在資料編輯列中編輯(F)
錯誤檢查選項(O)...

5 會跳出 Excel 線上說明課程，瞭解錯誤原因，才能因應修正。

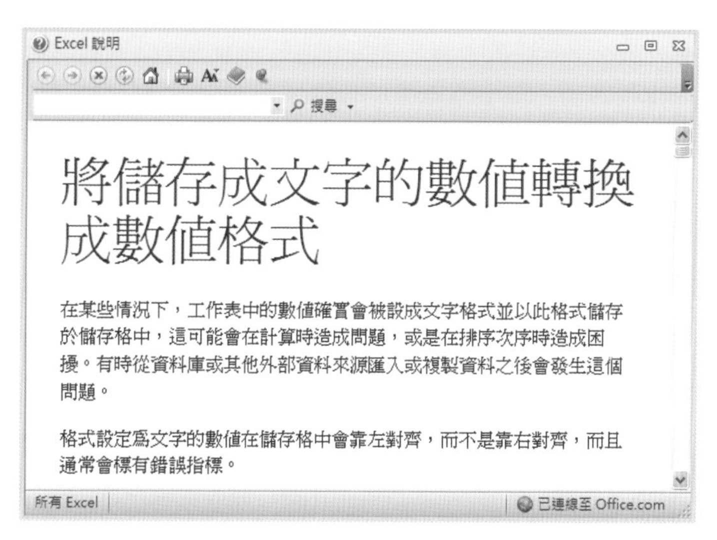

6 最直接的方法是將文字改成數字，選取好範圍，再點擊驚嘆號，將全部資料批次「轉換成數字」。

月份	部門編號	部門名稱
1	110	#N/A
1		N/A
1		N/A
1		N/A
1		N/A

數值儲存成文字
轉換成數字(C)
關於這個錯誤的說明(H)
忽略錯誤(I)
在資料編輯列中編輯(F)
錯誤檢查選項(O)...

7 轉換成數字之後，VLOOKUP 終於發揮作用，果然是文字格式在作怪。

fx =VLOOKUP(D2,部門!$A$2:$B$6,2,0)

C	D	E
月份	部門編號	部門名稱
1	110	A
1	110	A
1	120	B
1	120	B
1	140	D
1	140	D

8 瞭解了錯誤原因，不但能因應修正，還可以觸類旁通。由於這個是要匯入系統的檔案，最好不要將原來的文字格式改為數值，而且要選取整欄的部門編號範圍，也是麻煩。在不修改格式前提下，聰明作法是套個 VALUE 函數：「=VLOOKUP(VALUE(D2)), 部門 !$A$2:$C$6,2,0)」，如此一來，方便省事。

fx =VLOOKUP(VALUE(D2),部門!$A$2:$B$6,2,0)

B	C	D	E
年度	月份	部門編號	部門名稱
2015	1	110	A
2015	1	110	A
2015	1	120	B
2015	1	120	B
2015	1	140	D
2015	1	140	D

9 另外一個方法是，既然參考值為文字格式，那乾脆把搜尋表格（部門代碼名稱對照表）也改成文字格式，輸入函數公式「=TEXT(A2,"@")」，意思是轉換成文字格式。

B2 =TEXT(A2,"@")

	A	B	C
1	部門代碼	部門代碼(文字)	部門名稱
2	110	110	A
3	120	120	B
4	130	130	C
5	140	140	D
6	150	150	E

10 即可順利完成。

=VLOOKUP(D2,部門!$B$2:$C$6,2,0)

B	C	D	E
年度	月份	部門編號	部門名稱
2015	1	110	A
2015	1	110	A
2015	1	120	B
2015	1	120	B
2015	1	140	D
2015	1	140	D

ERP 系統裡，只要涉及到單據，都會有編號和名稱的區別。編號是系統識別和數位儲存的唯一身份證，一旦確認即無法再修改。名稱則如同穿在編號上的衣服，用意是讓編號更加好看、更加容易理解，所以名稱建立之後可以修改，所對應的編號不因此受影響。除了資訊提出檔案，有時系統導出來的報表，單據編號是文字格式，而且欄位上沒有名稱，這時為了一目瞭然，可利用此章節方法將名稱帶出來。

4.5 合併欄位排序搜尋

會計上的應收帳款明細帳，都有一個應收款日，有時我們需要根據明細表，彙總各個地區客戶的最晚收款日。Excel 操作上，直覺會想到用 VLOOKUP 去串，可是首先有個問題，VLOOKUP 只能依照一個特定的欄位資料去查找，如果是有一組（兩個以上）的欄位，例如像是（地區 , 客戶）這樣的組合，VLOOKUP 就不太適合使用。而即使查找條件解決了，接下來還有個問題：有時候在原始資料中，相同的查找條件有好幾筆，而我們要的，不一定是第一筆，VLOOKUP 卻只會查找相對資料的第一筆。

例如，在應收帳款明細表裡，相同地區的客戶有很多筆帳款，但我們只想要最晚一筆的應收款日，在這種情況，簡單套用 VLOOKUP 沒辦法達成預期效果。以下，想藉由實務上遇到的案例，介紹如何巧妙運用 VLOOKUP：

1. 應收帳款明細表，有「地區、客戶、帳款（編號）、應收金額、應收款日」等欄位。這是一個很適合 Excel 處理的報表資料，如果 ERP 系統跑出來或是查帳客戶前端部門給的資料不是這樣的形式，建議都先「修理」一下，方便後續作資料整理彙總。

	A	B	C	D	E
1	地區	客戶	帳款	應收金額	應收款日
2	台北	甲	AR001	1,000	16/01/01
3	台北	甲	AR002	2,000	16/02/02
4	台中	甲	AR003	3,000	16/03/03
5	台中	甲	AR004	4,000	16/04/04
6	台北	乙	AR005	1,000	16/05/05
7	台北	乙	AR006	2,000	16/06/06
8	台中	乙	AR007	3,000	16/07/07
9	台中	乙	AR008	4,000	16/08/08

2. 如圖所示，針對應收帳款明細表，想整理出一份清單，顯示各個地區客戶最晚的收款日。

	A	B	C
1	地區	客戶	最晚收款日
2	台北	甲	16/02/02
3	台中	甲	16/04/04
4	台北	乙	16/06/06
5	台中	乙	16/08/08

3 遇到這種情形，第一個想到的是 VLOOKUP 縱向查找函數，這個函數功能是同一列資料中，可以查找某欄位符合特定值的某一列中，傳回同一列相對應其他特定欄位的資料。這麼講相當艱澀，但只要實際用過 VLOOKUP，都會知道其實很容易理解，而且很好用。不過如同在這個例子所看到的，VLOOKUP 只能以某一欄作為查找條件，所以遇到需要兩個以上欄位作為組合條件時，必須先把各個欄位拼裝起來，中規中矩的公式為「=CONCATENATE(A2,B2)」，簡單易懂的公式為「=A2&B2」。

	A	B	C	D	E	F
1	地區	客戶	地區+客戶	帳款	應收金額	應收款日
2	台北	甲	台北甲	AR001	1,000	16/01/01
3	台北	甲	台北甲	AR002	2,000	16/02/02
4	台中	甲	台中甲	AR003	3,000	16/03/03
5	台中	甲	台中甲	AR004	4,000	16/04/04
6	台北	乙	台北乙	AR005	1,000	16/05/05
7	台北	乙	台北乙	AR006	2,000	16/06/06
8	台中	乙	台中乙	AR007	3,000	16/07/07
9	台中	乙	台中乙	AR008	4,000	16/08/08

4 解決了查找條件的問題，套用 VLOOKUP 輸入公式：「=VLOOKUP(C2, 明細!$C$2 : $F$9,4,0)」很快會發現帶出來的資料不是我們想要的，因為 VLOOKUP 還有個特性，它只會傳回符合條件的第一筆資料，而我們想要的不僅僅是符合「地區 + 客戶」的收款，還要是「最晚收款日」。

	A	B	C	D
1	地區	客戶	地區+客戶	最晚收款日
2	台北	甲	台北甲	16/01/01
3	台中	甲	台中甲	16/03/03
4	台北	乙	台北乙	16/05/05
5	台中	乙	台中乙	16/07/07

5 理解了問題的癥結點，就能找到解決方法。既然 VLOOKUP 只會傳回第一筆資料，那也許可以先整理原始資料，讓我們想要的資料，都先往上排，問題就能迎刃而解。以文章範例而言，要找最晚的收款日，就要先把資料「排序」，收款日越晚的排在越上面，不就 OK 了！到 Excel 上方功能模塊，點選「常用」>「排序與篩選」>「自訂排序」。

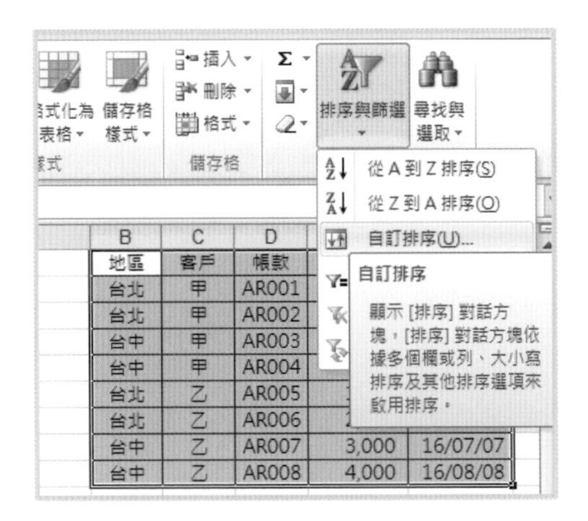

6 在跳出來的功能視窗中，依照我們需要，排序方式選擇「應收款日」，排序對象維持預設的「值」，順序改成「最新到最舊」。

7 按下排序功能視窗的「確定」之後，看看報表，已經變成是依照應收款日排序，最晚的在最上面了。

B	C	D	E	F	G
地區	客戶	地區+客戶	帳款	應收金額	應收款日
台中	乙	台中乙	AR008	4,000	16/08/08
台中	乙	台中乙	AR007	3,000	16/07/07
台北	乙	台北乙	AR006	2,000	16/06/06
台北	乙	台北乙	AR005	1,000	16/05/05
台中	甲	台中甲	AR004	4,000	16/04/04
台中	甲	台中甲	AR003	3,000	16/03/03
台北	甲	台北甲	AR002	2,000	16/02/02
台北	甲	台北甲	AR001	1,000	16/01/01

8 再次輸入公式：「=VLOOKUP(C2, 明細 !$D$2:$G$9,4,0)」，噹噹噹，不就是它了嗎！

	A	B	C	D
1	地區	客戶	地區+客戶	最晚收款日
2	台北	甲	台北甲	16/02/02
3	台中	甲	台中甲	16/04/04
4	台北	乙	台北乙	16/06/06
5	台中	乙	台中乙	16/08/08

最後來個彩蛋。使用 CONCATENATE、VLOOKUP 函數或是排序功能，都是 Excel 初階者思惟（說我自己啦），中階者會弄陣列，高階者會開發 VBA。以本篇文章案例而言，高高手一看，不就是個陣列公式：「{=MAX（IF（明細 3!$A$2:$A$9='9'!A2, 明細 3!$B$2:$B$9='9'!B2）*（明細 3!$E$2:$E$9））}」，一次全套解決不囉嗦，有興趣的讀者可以試試，記得先輸入：「=MAX（IF（明細 3!$A$2:$A$9='9'!A2, 明細 3!$B$2:$B$9='9'!B2）*（明細 3!$E$2:$E$9））」，再按「Ctrl+Shift+Enter」，這就是陣列公式基本用法。

	A	B	C
1	地區	客戶	最近收款日
2	台北	甲	16/02/02
3	台中	甲	16/04/04
4	台北	乙	16/06/06
5	台中	乙	16/08/08

MEMO

樞紐分析表應用

5.1 建立樞紐分析表

5.2 樞紐分析表資料更新

5.3 樞紐分析表欄位清單

5.4 樞紐分析表計算欄位

5.5 樞紐分析表核對差異

5.1 建立樞紐分析表

會計人在工作上處理的資料，常常有上千上百筆，而且通常每一筆有很多的交易紀錄（欄位），很多時候必須從這些資料中，針對某些特定欄位作彙總，例如從傳票分錄彙總出各科目金額、從應收帳款彙總出各客戶收入、從應付帳款彙總出廠商進貨，諸此種種，因為資料量太大，勢必得藉助電腦軟體，在這方面做得最出色的便是微軟 Excel 的樞紐分析表。在此以應付帳款為例，介紹如何建立基本的樞紐分析表：

1. 應付帳款明細帳有很多欄位內容，這些欄位是一筆一筆單據所輸入的資料，ERP 系統最方便的地方就在於可以跑出這些資料的「總彙」報表。

	A	B	C	D	E	F	G	H
1	供貨單位	開票日期	發票號碼	項次	含稅應付	付款日期	付款金額	未付帳款
2	小強五金	2014-03-25	A001	1	1,000	2014-5-27	1,000	0
3	小強五金	2014-03-25	A001	2	1,000	2014-5-27	1,000	0
4	小強五金	2014-06-24	A002	1	2,000	2014-9-25	2,000	0
5	小強五金	2014-06-24	A002	2	2,000	2014-9-25	2,000	0
6	中天精密	2014-11-03	B001	1	3,000	2014-12-25	3,000	0
7	中天精密	2014-11-03	B001	2	3,000	2014-12-25	3,000	0
8	中天精密	2015-02-02	B002	1	4,000	2015-4-2	3,000	1,000
9	中天精密	2015-02-02	B002	2	4,000	2015-4-2	3,000	1,000
10	大哥科技	2015-03-20	C001	1	5,000	2015-4-20	5,000	0
11	大哥科技	2015-03-20	C001	2	5,000	2015-4-20	3,000	2,000
12	大哥科技	2015-04-28	C002	1	6,000			
13	大哥科技	2015-04-28	C002	2	6,000			

2. 點選上方功能區：「插入」>「樞紐分析表」。

3 「建立樞紐分析表」視窗：可在此更改選取範圍或選擇放置位置。仔細看，有個選項是「使用外部資料來源」，通常是引用資料庫檔案，這個需要懂點基礎的資料庫程式，除非是大規模的集團，資料量很大，不然一般是不需要的。

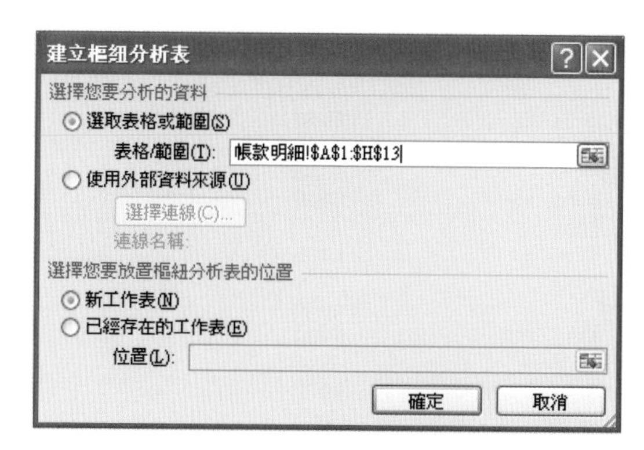

4 「樞紐分析表欄位清單」：把資料裡各欄位拉到「列標籤」、「欄標籤」、「值」，看圖學樣自己拉過一遍，看看跑出來的報表長怎樣，很快就能理解欄位清單的作用。

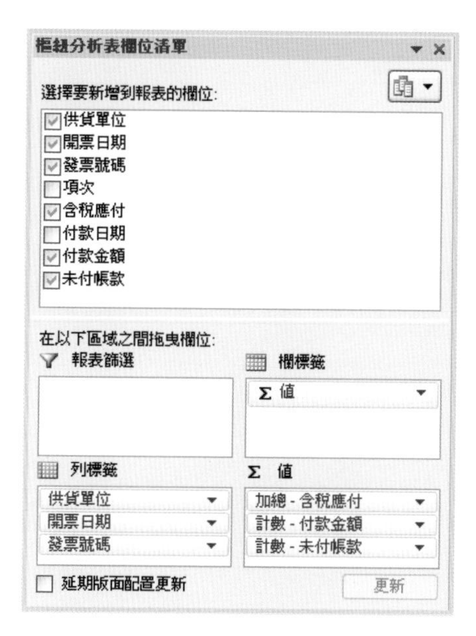

5 不作任何處理，預設模版所跑出來的樞紐長成這樣，一句話，不是很好看。

	A	B	C	D
1		數值		
2	列標籤	加總 - 含稅應付	計數 - 付款金額	計數 - 未付帳款
3	⊟大哥科技	22000	2	2
4	⊟2015-03-20	10000	2	2
5	C001	10000	2	2
6	⊟2015-04-28	12000		
7	C002	12000		
8	⊟小強五金	6000	4	4
9	⊟2014-03-25	2000	2	2
10	A001	2000	2	2
11	⊟2014-06-24	4000	2	2
12	A002	4000	2	2
13	⊟中天精密	14000	4	4
14	⊟2014-11-03	6000	2	2
15	B001	6000	2	2
16	⊟2015-02-02	8000	2	2
17	B002	8000	2	2
18	總計	42000	10	10

6 先改版面，將游標移到樞紐分析表上，會發現 Excel 上方功能區會多出一塊，依次點選：「樞紐分析表工具」>「設計」>「報表版面配置」>「以列表方式顯示」（預設是「以壓縮模式顯示」）。

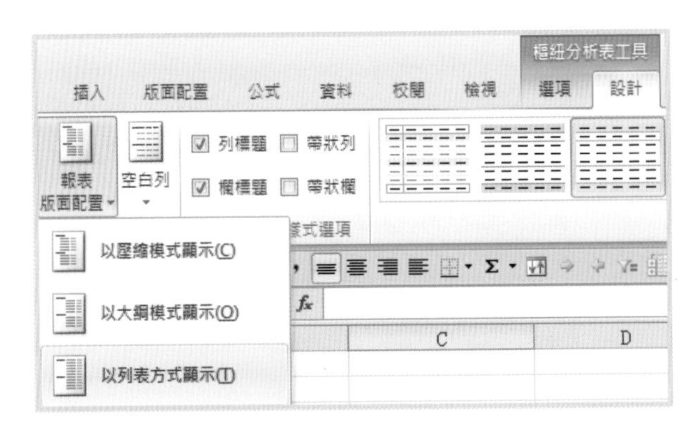

7 改完之後馬上查看，即能領悟其中奧妙。

	A	B	C	D	E	F
1				數值		
2	供貨單位	開票日期	發票號碼	加總 - 含稅應付	計數 - 付款金額	計數 - 未付帳款
3	⊟大哥科技	⊟2015-03-20	C001	10000	2	2
4		2015-03-20 合計		**10000**	**2**	**2**
5		⊟2015-04-28	C002	12000		
6		2015-04-28 合計		**12000**		
7	大哥科技 合計			**22000**	**2**	**2**
8	⊟小強五金	⊟2014-03-25	A001	2000	2	2
9		2014-03-25 合計		**2000**	**2**	**2**
10		⊟2014-06-24	A002	4000	2	2
11		2014-06-24 合計		**4000**	**2**	**2**
12	小強五金 合計			**6000**	**4**	**4**
13	⊟中天精密	⊟2014-11-03	B001	6000	2	2
14		2014-11-03 合計		**6000**	**2**	**2**
15		⊟2015-02-02	B002	8000	2	2
16		2015-02-02 合計		**8000**	**2**	**2**
17	中天精密 合計			**14000**	**4**	**4**
18	總計			**42000**	**10**	**10**

8 開票日期每個都加了合計，實在沒有必要，將滑鼠移到開票日期欄位上，按右鍵，將「小計開票日期」取消勾選。

	A	B
1		
2	供貨單位	開票日期
3	⊟大哥科技	⊟2015-03-20
4		2015-03-20 合計
5		⊟2015-04-28
6		2015-04-28 合計
7	大哥科技 合計	
8	⊟小強五金	⊟2014-03-25
9		2014-03-25 合計
10		⊟2014-06-24
11		2014-06-24 合計
12	小強五金 合計	
13	⊟中天精密	⊟2014-11-03
14		2014-11-03 合計
15		⊟2015-02-02

排序(S)
篩選(T)
✓ 小計 "開票日期"(B)
展開/摺疊(E)
群組(G)...
取消群組(U)...
移動(M)
移除 "開票日期"(V)
欄位設定(N)...
樞紐分析表選項(O)...
顯示欄位清單(D)

9 你看，是不是乾淨清爽許多！

	A	B	C	D
1				數值
2	供貨單位	開票日期	發票號碼	加總 - 含稅
3	⊟大哥科技	⊟2015-03-20	C001	10,000
4		⊟2015-04-28	C002	12,000
5	大哥科技 合計			**22,000.**
6	⊟小強五金	⊟2014-03-25	A001	2,000
7		⊟2014-06-24	A002	4,000
8	小強五金 合計			**6,000.**
9	⊟中天精密	⊟2014-11-03	B001	6,000
10		⊟2015-02-02	B002	8,000
11	中天精密 合計			**14,000.**
12	總計			**42,000.**

10 「計數－付款金額」欄位可表示共有幾筆資料，顯然並非這裡所需，我們要的是資料加總數字，變更方法一樣，將滑鼠移到欄位資料上按右鍵，點擊「值欄位設定」。

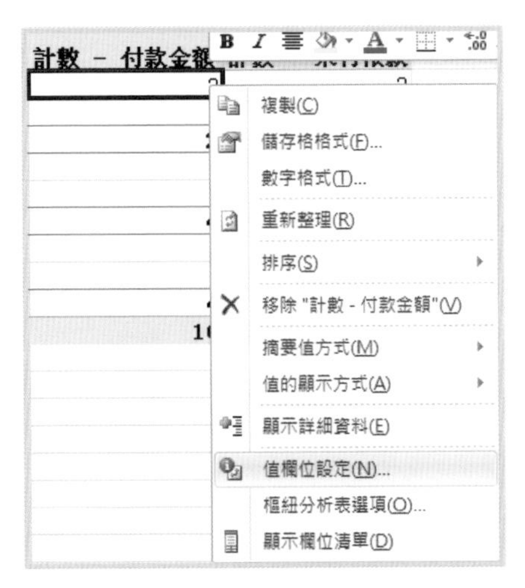

11 「值欄位設定」視窗中的選項有「加總」、「項目個數」、「平均值」等，會計人用到最多的還是「加總」。需於前端追蹤異常單據會使用「項目個數」統計，至於其他選項的實用性並不高。

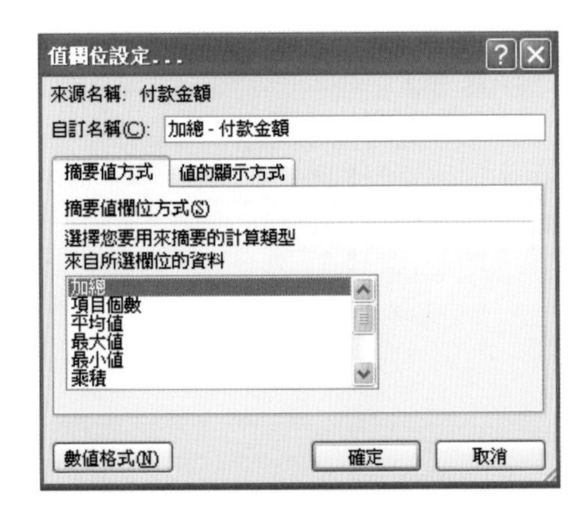

⑫ Excel 針對常用程式，除了會放在正式功能區，也會貼心地擺在快捷便利的地方，例如「值欄位設定」的步驟，只要在欄位地方按右鍵，就會出現一列「摘要資料方式」。

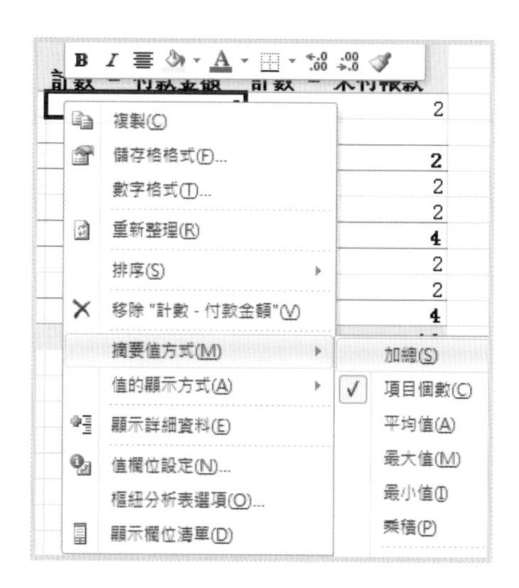

⑬ 最終整理好的報表如下圖。

	A	B	C	D	E	F
1				數值		
2	供貨單位	開票日期	發票號碼	加總 － 含稅應付	加總 － 付款金額	加總 － 未付帳款
3	⊟大哥科技	⊟2015-03-20	C001	10,000	8,000	2,000
4		⊟2015-04-28	C002	12,000		
5	大哥科技 合計			22,000	8,000	2,000
6	⊟小強五金	⊟2014-03-25	A001	2,000	2,000	-
7		⊟2014-06-24	A002	4,000	4,000	-
8	小強五金 合計			6,000	6,000	-
9	⊟中天精密	⊟2014-11-03	B001	6,000	6,000	-
10		⊟2015-02-02	B002	8,000	6,000	2,000
11	中天精密 合計			14,000	12,000	2,000
12	總計			42,000	26,000	4,000

在會計人的 Excel 世界裡，VLOOKUP 函數跟樞紐分析表是萬能的左右手，查找資料時會習慣先用 VLOOKUP 比對資料，再彙總資料跑樞紐，所以有必要多作說明。上一章分成幾個小節，介紹了 VLOOKUP 基本用法，這一章同樣會利用幾個小節幾個範例，介紹樞紐分析表的基本用法。

5.2 樞紐分析表資料更新

上一節介紹如何建立樞紐分析表。實際操作過後，應該能理解樞紐分析表就是把特定範圍的明細資料，依據某些欄位將數字彙總起來。實務上，常常會遇到這個特定範圍的明細資料，當資料有更新或是新增時，這時候樞紐分析表已經架好，所需要的欄位格式也都設定好了，再重新建立一次只是重工浪費時間。針對這種情形，Excel 其實有提供快速作法，以下介紹：

1. 總公司拿到的報表，有各個子公司各個會科的本期發生金額。

	A	B	C
1	會計科目	子公司	發生金額
2	5100	A	100
3	5100	A	100
4	5100	B	200
5	5100	C	100
6	5200	A	300
7	5200	A	100
8	5200	A	100
9	5300	B	200
10	5300	B	200
11	5300	C	300

2. 依照原始報表跑出樞紐分析表。

	A	B	C
1	加總 - 發生金額	子公司	
2	會計科目	A	B
3	5100	200	200
4	5200	500	
5	5300		400
6	總計	700	600

3 後來發現子公司提供的資料有點問題，紅字部份為更正後金額。

	A	B	C
1	會計科目	子公司	發生金額
2	5100	A	100
3	5100	A	100
4	5100	B	200
5	5100	C	300
6	5200	A	100
7	5200	A	100
8	5200	A	100
9	5300	B	200
10	5300	B	200
11	5300	C	300

4 像這種狀況很簡單，只需要按下「重新整理」。按下箭頭的圖案會出現下拉程式清單，可以發現這個區塊的程式集單純，而且第一個就是「重新整理」程式，所以不一定要拉出清單，把滑鼠移到「重新整理」區塊，直接點選即可。

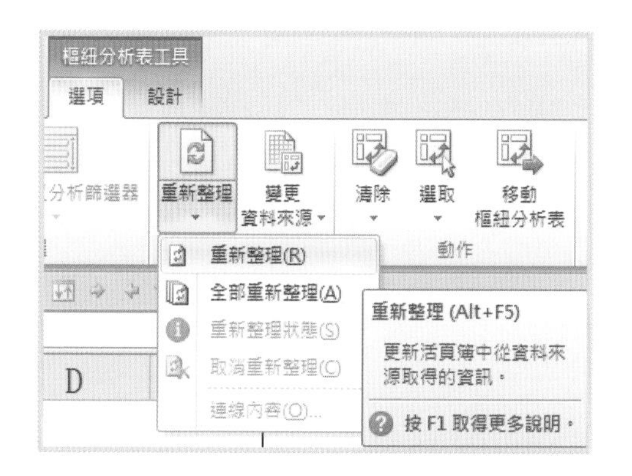

5 不錯吧！一鍵即可更新樞紐分析表。

	A	B	C	D	E
1	加總 - 發生金額	子公司			
2	會計科目	A	B	C	總計
3	5100	200	200	300	700
4	5200	300			300
5	5300		400	300	700
6	總計	500	600	600	1700

6 還有一種情況是，當原始報表的資料筆數有新增或減少，就等於是一份新的報表。例如，新增了一家 D 子公司。

	A	B	C
1	會計科目	子公司	發生金額
2	5100	A	100
3	5100	A	100
4	5100	B	200
5	5100	C	300
6	5200	D	400
7	5200	A	100
8	5200	A	100
9	5200	A	100
10	5300	B	200
11	5300	B	200
12	5300	C	300
13	5200	D	400

7 這時候有兩種方案，第一種是老方法，重新抓新的報表，再跑一次樞紐流程；第二種是新方法，在原有樞紐分析表的基礎上，直接改變所抓取的範圍，具體作法為：點選「樞紐分析表工具」>「選項」>「變更資料來源」。

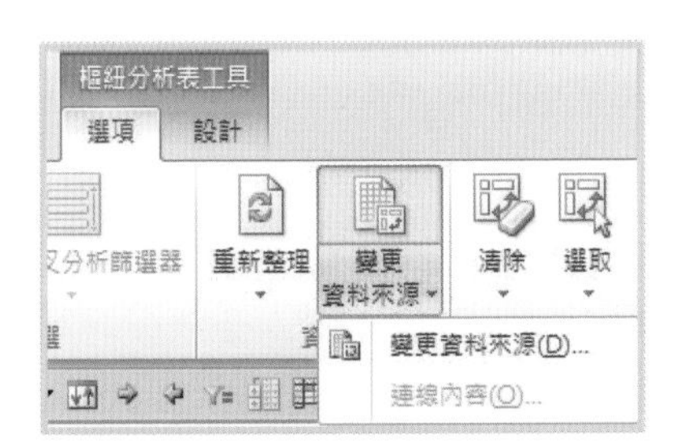

8 按下「變更資料來源」，Excel 會跳出一個視窗，閃閃發亮的框是原來彙總範圍，功能視窗裡面是原選取範圍的儲存格字串：「六 !$A$1:$C$11」，可以直接修改這個字串成：「六 !$A$1:$C$13」，也可以按一下有紅色箭頭的功能鍵，以滑鼠拖曳圈選想要重新彙總的範圍。

	A	B	C	D	E
1	會計科目	子公司	發生金額		
2	5100	A	100		
3	5100				
4	5100				
5	5100				
6	5200				
7	5200				
8	5200				
9	5200				
10	5300	B	200		
11	5300	B	200		
12	5300	C	300		
13	5200	D	400		

變更樞紐分析表資料來源

選擇您要分析的資料

選取表格或範圍(S)

表格/範圍(T): 六!$A$1:$C$11

使用外部資料來源(U)

選擇連線(C)...

連線名稱:

確定 取消

9 更改範圍後按「確定」，原來的樞紐分析表馬上更新了，非常方便。

	A	B	C	D	E	F
1	加總 - 發生金額	子公司				
2	會計科目	A	B	C	D	總計
3	5100	200	200	300		700
4	5200	300			800	1100
5	5300		400	300		700
6	總計	500	600	600	800	2500

這一節介紹了更新和變更樞紐分析表，特別值得一提的是，變更範圍並不侷限於原來工作表，可以點選切換到另外一張工作表、甚至可以是另一個 Excel 檔案活頁簿上的工作表，這個大大提升了樞紐分析表的靈活性。最後，如果是拿到別人的檔案，發現裡面有樞紐，可以先把「變更資料來源」打開，瞭解這個樞紐是怎麼跑出來，可有助於理解別人的編製流程。

5.3 樞紐分析表欄位清單

會計人每個月結完帳，除了必定會有的資產負債表和損益表，通常還會做個部門費用彙總表。有了這張表，可以進一步瞭解詳細費用差異，內部管控各部門支出，並且可以參考編列預算，分析預算與實際的達成狀況。在此想介紹如何運用樞紐分析表，將一般格式的明細分類帳，彙總成部門費用報表：

1. 明細分類帳。ERP 總帳系統都會有這麼一支報表，即使沒有 ERP，手工帳也會把它做出來，因為這是會計法規上要求的報表。

	A	B	C	D	E	F	G
1	傳票日期	傳票編號	科目	部門	借方	貸方	餘額
2	15/01/13	J-150101	薪資支出	管理部	180		180
3	15/01/14	J-150102	薪資支出	財務部	270		450
4	15/01/15	J-150103	薪資支出	管理部		30	420
5	15/01/16	J-150104	什項購置	管理部	110		530
6	15/01/17	J-150105	什項購置	財務部	190		720
7	15/02/16	J-150201	薪資支出	管理部	340		1,060
8	15/02/17	J-150202	薪資支出	財務部	420		1,480
9	15/02/18	J-150203	薪資支出	管理部		10	1,470
10	15/02/19	J-150204	什項購置	管理部	120		1,590
11	15/02/20	J-150205	什項購置	財務部	150		1,740

2. 上述的報表如果要直接樞紐彙總，有些欄位資料仍然欠缺。例如月份、例如以正負表達的分錄金額（借方為正、貸方為負）。簡單的 Excel 公式可以做出來：「=MONTH(A2)」（得到月份 1）、「=MID(B2,3,4)」（得到月份 2）、「=G2−H2」（得到金額）。

C2 fx =MONTH(A2)

	A	B	C	D	E	F	G	H	I
1	傳票日期	傳票編號	月份1	月份2	科目	部門	借方	貸方	金額
2	15/01/13	J-150101	1	1501	薪資支出	管理部	180		180
3	15/01/14	J-150102	1	1501	薪資支出	財務部	270		270
4	15/01/15	J-150103	1	1501	薪資支出	管理部		30	(30)
5	15/01/16	J-150104	1	1501	什項購置	管理部	110		110
6	15/01/17	J-150105	1	1501	什項購置	財務部	190		190
7	15/02/16	J-150201	2	1502	薪資支出	管理部	340		340
8	15/02/17	J-150202	2	1502	薪資支出	財務部	420		420
9	15/02/18	J-150203	2	1502	薪資支出	管理部		10	(10)
10	15/02/19	J-150204	2	1502	什項購置	管理部	120		120
11	15/02/20	J-150205	2	1502	什項購置	財務部	150		150

3 整理好之後，跑樞紐，將「科目」拉到列標籤、將「月份」拉到欄標籤、將「金額」拉到值。

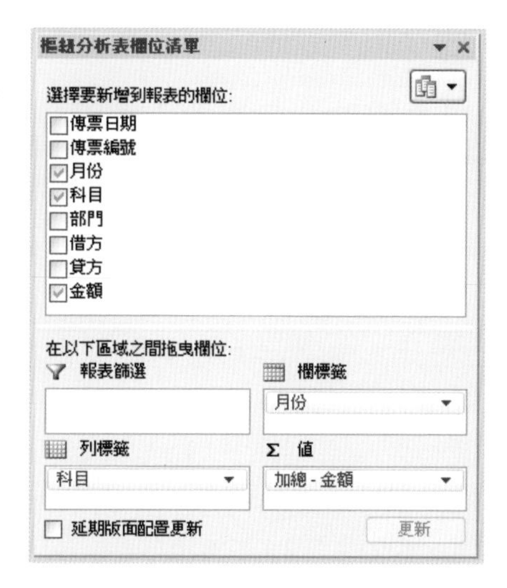

4 依照科目列示的月份別費用彙總表。

	A	B	C	D
1	加總 - 金額	月份		
2	科目	1501	1502	總計
3	什項購置	300	270	570
4	薪資支出	420	750	1,170
5	總計	720	1,020	1,740

5 將游標移到樞紐分析表，會出現欄位清單。將「科目」拉回去上面的清單，或者直接在清單上將「科目」的打勾取消，然後將「部門」勾選，或者是將「部門」拉到列標籤。

6 依照部門列示的月份別費用彙總表。

	A	B	C	D
1	加總 - 金額	月份		
2	部門	1501	1502	總計
3	財務部	460	570	1,030
4	管理部	260	450	710
5	總計	720	1,020	1,740

這一節介紹了如何帶 Excel 公式，將日期或流水號轉化為月份。實務上，系統跑出來的報表，大多不會特別有個月份欄位，但會計都是以一個月一個月作為期間劃分，所以雖然轉化月份的公式相當簡單，但卻是非常實用。

5.4 樞紐分析表計算欄位

先前章節介紹建立和更新樞紐分析表，報表的金額來自於原始資料，沒有作任何變動。不過，在某些情況下，有可能必須就資料做計算，然後在報表上呈現計算結果。如果只是加加減減，A 加減 B 之類的，還比較簡單，只要在原始明細表中增加欄位，先做計算，再更新到樞紐分析表即可。如果是乘除，A 除以 B 之類的，例如周轉率和毛利率，把明細每一項比率加起來，並不會等於總額的相除，所以先前方法行不通，比較適當的作法是直接在樞紐分析表做彙總計算，操作方式如下：

1. ERP 系統轉出來的銷貨毛利表，已經整理成標準的資料庫格式：第一行是欄位清單，第二行開始是資料內容。

	A	B	C	D	E	F
1	月份	客戶	銷貨數量	銷貨金額	銷貨成本	銷貨毛利
2	1412	A	1,000	10,000	9,000	1,000
3	1412	A	1,000	10,000	9,000	1,000
4	1412	B	2,000	20,000	16,000	4,000
5	1412	B	2,000	20,000	16,000	4,000
6	1501	A	3,000	30,000	21,000	9,000
7	1501	A	3,000	30,000	21,000	9,000
8	1501	B	4,000	40,000	24,000	16,000
9	1501	B	4,000	40,000	24,000	16,000
10	總計		20,000	200,000	140,000	60,000

2. 依照先前章節所介紹的：「插入」>「樞紐分析表」，建立樞紐分析表。這裡補充兩點：首先，當游標滑過命令工具時，會跳出半浮動的說明視窗，有需要都可以按「F1」取得進一步說明；再者，如果是已經整理好的標準資料庫格式，游標落在資料表格裡，Excel 會自己抓取整個報表。

3. 在「樞紐分析表欄位清單」視窗中，將月份、客戶拉到「列標籤」，將銷貨數量、銷貨金額、銷貨成本、銷貨毛利拉到「值」。

4. 結果如圖所示，已經稍加修改樞紐分析表的格式，把原來標題欄位上的「加總－」刪掉了。

	A	B	C	D	E	F
1			資料			
2	月份	客戶	銷貨數量	銷貨金額	銷貨成本	銷貨毛利
3	⊟1412	A	2,000	20,000	18,000	2,000
4		B	4,000	40,000	32,000	8,000
5	1412 合計		6,000	60,000	50,000	10,000
6	⊟1501	A	6,000	60,000	42,000	18,000
7		B	8,000	80,000	48,000	32,000
8	1501 合計		14,000	140,000	90,000	50,000
9	總計		20,000	200,000	140,000	60,000

5. 樞紐分析表的妙用之一：可以快速變化資料的彙總方式。例如，「樞紐分析表欄位清單」視窗中，將客戶拉到「欄標籤」，在「值」裡面只保留一個銷貨金額。

6. 原來的分析表馬上變成兩個月客戶別的營收統計！

	A	B	C	D
1	銷貨金額	客戶		
2	月份	A	B	總計
3	1412	20,000	40,000	60,000
4	1501	60,000	80,000	140,000
5	總計	80,000	120,000	200,000

7. 樞紐分析表的妙用之二：游標停留在分析表中，然後再移到「計算」頁籤，在上面功能區裡找到「樞紐分析表工具」的「選項」頁籤，於「欄位、項目和集」下「插入計算欄位」。

8 在「名稱」輸入毛利率，將銷貨毛利「插入欄位」，打個「/」表示除以，再將銷貨金額「插入欄位」，按下「確定」。

9 回到「樞紐分析表欄位清單」視窗，可以發現多了一個「毛利率」，再調整一下配置。

10 原來的分析表多了一個毛利率欄位，這裡要注意把該欄位的數值格式設置為百分比，不然的話看起來都是零，因為都是小於 1。

	A	B	C	D	E	F	G
1			資料				
2	月份	客戶	銷貨數量	銷貨金額	銷貨成本	銷貨毛利	毛利率
3	⊟1412	A	2,000	20,000	18,000	2,000	10%
4		B	4,000	40,000	32,000	8,000	20%
5	1412 合計		6,000	60,000	50,000	10,000	17%
6	⊟1501	A	6,000	60,000	42,000	18,000	30%
7		B	8,000	80,000	48,000	32,000	40%
8	1501 合計		14,000	140,000	90,000	50,000	36%
9	總計		20,000	200,000	140,000	60,000	30%

11 除了以欄位作運算，還可以輸入固定數字，例如新增營收佔比：「＝銷貨金額/200000」。

12 就變成客戶營收佔比報表了。

	A	B	C
1		資料	
2	客戶	銷貨金額	營收佔比
3	A	80,000	40%
4	B	120,000	60%
5	總計	200,000	100%

這一節主要介紹如何在「樞紐分析表欄位清單」新增「計算欄位」，在同一個分析表的基礎上，只要巧妙運用欄位配置，雖然資料內容一樣，但是在報表呈現上非常靈活多變，配合不同管理需求，可以迅速產生相對應的報表。

5.5 樞紐分析表核對差異

上一章介紹了如何以 VLOOKUP 交叉核對兩份報表明細，當時範例簡單，每一筆資料的傳票帳款每一筆皆不同，VLOOKUP 函數在搜尋時，會從上到下傳回所找到的第一筆資料，剛好適用於範例。然而，實務遇到的，一張傳票通常有好幾筆分錄，一筆帳款有好幾批出貨，甚至也有可能，幾筆帳款同時拋在一張傳票上。凡此種種，都會使得直接套用 VLOOKUP 不切實際，遇到這種情形，可以先跑樞紐分析表彙總，然後再交叉核對，以下介紹具體作法：

1. 傳票明細分類帳：如同一般實務狀況，一張傳票有幾筆分錄，摘要部份是簡化了，正常銷貨收入的傳票，摘要還會有諸如客戶、出貨單號數量等資訊。

	A	B	C	D	E
1	傳票編號	科目名稱	摘要	借方	貸方
2	JA-1602001	銷貨收入	二月出貨	1,000	
3	JA-1602001	銷貨收入	二月出貨	2,000	
4	JA-1602002	銷貨收入	二月出貨	3,000	
5	JA-1602002	銷貨收入	二月出貨	4,000	
6	JA-1602003	銷貨收入	二月出貨	5,000	
7	JA-1602003	銷貨收入	二月出貨		1,000

2. 應收帳款明細表：每筆帳款編號都不一樣，不過如圖所示，應該是系統作業方便，有些帳款拋轉成同一張傳票，也有些帳款尚未拋轉傳票。

	A	B	C	D
1	客戶簡稱	帳款編號	傳票編號	金額
2	甲	SA-1602001	JA-1602001	1,000
3	乙	SA-1602002	JA-1602002	3,000
4	乙	SA-1602003	JA-1602002	4,000
5	丙	SA-1602004	JA-1602003	5,000
6	丙	SB-1602001	JA-1602003	1,000
7	丙	SA-1602005		6,000

3 傳票分借貸方兩欄，這對於 Excel 在整理上很不方便。套個簡單公式：「=D7−E7」，借方為正，貸方為負，也就是例圖上的 F 欄。延續先前章節所介紹方法：「=VLOOKUP(A7, 二 !$C$2:$D$7,2,0)−F7」，你很快就會發現這樣行不通，因為兩筆帳款拋轉成一張傳票兩筆分錄，VLOOKUP 由上往下，只要找到第一筆合乎條件的，便會打住傳回儲存格內容，如圖所示。傳票的第一筆分錄（帳款）核對相符，第二筆分錄（帳款）會顯示有差異，但其實是一致的。

G7 =VLOOKUP(A7,二!$C$2:$D$7,2,0)-F7

	A	B	C	D	E	F	G
1	傳票編號	科目名稱	摘要	借方	貸方	金額	核對
2	JA-1602001	銷貨收入	二月出貨	1,000		1,000	0
3	JA-1602001	銷貨收入	二月出貨	2,000		2,000	(1,000)
4	JA-1602002	銷貨收入	二月出貨	3,000		3,000	0
5	JA-1602002	銷貨收入	二月出貨	4,000		4,000	(1,000)
6	JA-1602003	銷貨收入	二月出貨	5,000		5,000	0
7	JA-1602003	銷貨收入	二月出貨		1,000	(1,000)	6,000

4 為了解決一張傳票兩筆帳款的問題，要先弄個樞紐分析表，依照傳票或是帳款彙總金額。不過請注意黃色部份，加總金額為「6,000」，但原始資料中一筆是正常銷貨帳款（SA）「5,000」、一筆其實是負數的銷退折讓（SB）「1,000」，以傳票的角度來看，金額應該是 5,000−1,000=4,000。

	A	B	C	D	E
1	傳票:			帳款:	
2	加總 - 金額			加總 - 金額	
3	傳票編號	合計		傳票編號	合計
4	JA-1602001	3,000		JA-1602001	1,000
5	JA-1602002	7,000		JA-1602002	7,000
6	JA-1602003	4,000		JA-1602003	6,000
7	總計	14,000		(空白)	6,000
8				總計	20,000

5 針對這種情況，直覺的作法是加個判斷式：「=IF(LEFT(B6,2)="SB",-D6,D6)」，如此一來，類似於將傳票借貸方的淨額表達，我們也將帳款明細表淨額表達了，這是會計人在整理 Excel 資料時，相當實用的小技巧。

E6 =IF(LEFT(B6,2)="SB",-D6,D6)

	A	B	C	D	E
1	客戶簡稱	帳款編號	傳票編號	金額	淨額
2	甲	SA-1602001	JA-1602001	1,000	1,000
3	乙	SA-1602002	JA-1602002	3,000	3,000
4	乙	SA-1602003	JA-1602002	4,000	4,000
5	丙	SA-1602004	JA-1602003	5,000	5,000
6	丙	SB-1602001	JA-1602003	1,000	(1,000)
7	丙	SA-1602005		6,000	6,000

6 在先前第四個步驟，已經把樞紐架好了，當明細資料有變動，最快的方法是選按「變更資料來源」，然後在「樞紐分析表欄位清單」，把「金額」取消勾選，把「淨額」打勾。更新好樞紐，便可以用 VLOOKUP 函數交叉核對。這些是會計實務上，非常方便的 Excel 小技巧，在先前章節已有詳盡介紹，如果不熟，可以再翻閱複習一下。

F4 =VLOOKUP(D4,$A$4:$B$6,2,0)-E4

	A	B	C	D	E	F
1	傳票:			帳款:		
2	加總 - 金額			加總 - 淨額		
3	傳票編號	合計	核對:	傳票編號	合計	核對:
4	JA-1602001	3,000	(2,000)	JA-1602001	1,000	2,000
5	JA-1602002	7,000	-	JA-1602002	7,000	-
6	JA-1602003	4,000	-	JA-1602003	4,000	-
7	總計	14,000		(空白)	6,000	#N/A
8				總計	18,000	

以上範例因為礙於篇幅，所以筆數不多，弄了這麼多函數公式，看起來似乎多餘，可是實務工作上，有過經驗的人應該都知道會有幾十幾百筆以上，真的遇到必須核對檢查的場合，相信這裡所介紹的小技巧非常值得參考。

管理報表應用

6.1 群組多站式損益表

6.2 銷貨收入報表

6.3 產品別毛利分析

6.4 應付帳款異常項目

6.5 逾期應收帳款

6.1 群組多站式損益表

在 Excel 編製報表過程中，常常有些欄位，只是為了檢查和計算使用，在最終報表的呈現上，並不需要顯示或列印這些欄位。在報表完成之後，這些欄位就必須被「處理」掉。像這類不想看到的資料，最下策是將它刪除，但我並不建議這麼做，因為資料留著，哪天需要可以直接使用，中策是隱藏，然而即使隱藏，它還是存在，日後再打開檔案，不仔細看，可能都忘了有隱藏欄位，一方面是不好找，另方面是容易造成計算上的疏誤。

在 Excel，有個群組功能非常方便，針對前文所述想隱藏起來的資料，是上上之策，以下介紹：

1. 圖示是在其他文章的範例，表格右邊黃色部份，是另外弄的幾欄函數資料，這些資料並非是最終想呈現出來的報表，純粹是計算需要而已。

	A	B	C	D	E	F	G
1	地區	客戶	出貨日	幣別	金額	最早出貨日	客戶地區幣別
2	台北	A	2015-10-30	USD	2,526	2015-10-30	台北AUSD
3	台中	B	2015-11-25	USD	180	2015-11-25	台中BUSD
4	台中	B	2015-11-30	USD	280	2015-11-25	台中BUSD
5	台中	B	2015-12-15	USD	390	2015-11-25	台中BUSD
6	台南	A	2015-12-21	RMB	1,270	2015-12-21	台南ARMB
7	台南	B	2015-12-25	RMB	3,300	2015-12-25	台南BRMB
8	台南	A	2016-1-6	RMB	5,000	2015-12-21	台南ARMB

2. 圈選 F、G 兩欄，按滑鼠右鍵，有「刪除」、「隱藏」、「取消隱藏」…等選項可使用，可是如同文章開頭所述，這些功能仍有其缺點。

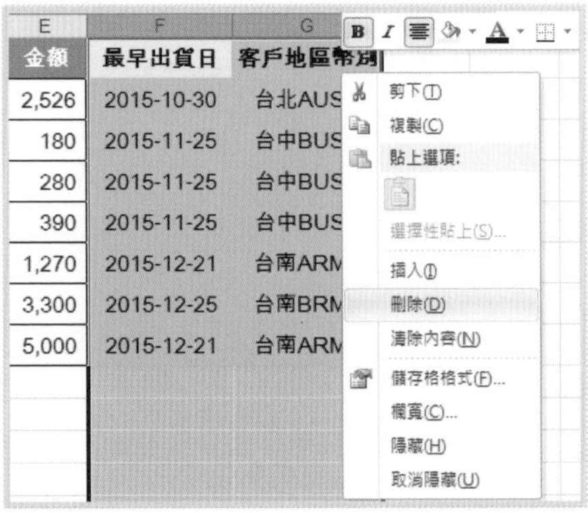

E	F	G
金額	最早出貨日	客戶地區幣別
2,526	2015-10-30	台北AUS
180	2015-11-25	台中BUS
280	2015-11-25	台中BUS
390	2015-11-25	台中BUS
1,270	2015-12-21	台南ARM
3,300	2015-12-25	台南BRM
5,000	2015-12-21	台南ARM

剪下(T)
複製(C)
貼上選項:
選擇性貼上(S)...
插入(I)
刪除(D)
清除內容(N)
儲存格格式(F)...
欄寬(C)...
隱藏(H)
取消隱藏(U)

3 這種情況比較適合的是「群組」。先圈選 F、G 欄，在上方功能區的「資料」頁籤中的「大綱」區域有個「群組」。

4「群組」後的欄位，等於是安裝了折疊開關，類似於「隱藏」和「取消隱藏」。不過仔細瞧，上面有個加減號，只要點擊這個加減號，便可以折疊欄列資料，相當便利清楚。

D	E	F	G	H
幣別	金額	最早出貨日	客戶地區幣別	
USD	2,526	2015-10-30	台北AUSD	
USD	180	2015-11-25	台中BUSD	
USD	280	2015-11-25	台中BUSD	
USD	390	2015-11-25	台中BUSD	
RMB	1,270	2015-12-21	台南ARMB	
RMB	3,300	2015-12-25	台南BRMB	
RMB	5,000	2015-12-21	台南ARMB	

5 應用到損益表。範例中黃色部份是大類科目，大類下白色部份是明細科目。有些場合需要大類，有些場合又希望能看到明細，這種情況最適合使用「群組」。

	A	B	C	D	E
1	科目名称	1月	2月	3月	第一季
2	一、銷貨收入	85,500	52,700	75,900	214,100
3	4100 內銷收入	35,000	24,300	26,300	85,600
4	4200 外銷收入	56,500	35,600	53,200	145,300
5	4400 銷貨退回	(6,000)	(7,200)	(3,600)	(16,800)
6	二、銷貨成本	69,450	42,390	66,480	178,320
7	5100 銷貨成本	59,850	36,890	60,720	157,460
8	5200 其他銷貨成本	9,600	5,500	5,760	20,860
9	三、銷貨毛利	16,050	10,310	9,420	35,780
10	四、營業費用	3,200	3,700	3,450	10,350
11	6110 營-薪資支出	800	900	850	2,550
12	6120 營-獎金	600	700	650	1,950

6 把列折疊起來，僅保留大類科目，把月份也折疊起來，僅保留季度數據，如此便是個簡單損益表。

	A	E
1	科目名称	第一季
2	一、銷貨收入	214,100
6	二、銷貨成本	178,320
9	三、銷貨毛利	35,780
10	四、營業費用	10,350
16	五、管理費用	7,350
21	六、研發費用	8,850
25	七、營業淨利	9,230
29	八、稅前淨利	7,230
32	九、稅後淨利	6,160

7 按列或欄上的「1」或「2」，可以一次將所有層級的群組打開或是折疊，也可以選擇性地按某個加號或減號，打開或折疊某個特定群組。

	A	B	C	D	E
1	科目名称	1月	2月	3月	第一季
2	一、銷貨收入	85,500	52,700	75,900	214,100
3	4100 內銷收入	35,000	24,300	26,300	85,600
4	4200 外銷收入	56,500	35,600	53,200	145,300
5	4400 銷貨退回	(6,000)	(7,200)	(3,600)	(16,800)
6	二、銷貨成本	69,450	42,390	66,480	178,320
7	5100 銷貨成本	59,850	36,890	60,720	157,460
8	5200 其他銷貨成本	9,600	5,500	5,760	20,860
9	三、銷貨毛利	16,050	10,310	9,420	35,780
10	四、營業費用	3,200	3,700	3,450	10,350
11	6110 營-薪資支出	800	900	850	2,550

記得剛進事務所查帳，客戶給的固資變動表 PBC，裡面用了很多群組折疊起來。那時候不太懂 Excel，怯怯地跑去問客戶資料在哪？結果換來客戶不太友善的回應。現在學會了群組，才知道的確是 Excel 好物，每個會計人都應該嘗試看看。如果報表比較複雜，群組還可以設置三層以上，可以很清楚地架構出層級組織喔！

6.2 銷貨收入報表

如果系統報表完整，包含了所需的資料，就可以直接跑樞紐分析表，這樣當然是最好的了。可是有些時候，例如編製收入報表，系統跑出來的「銷貨明細表」，只有依照系統流程操作的正常銷貨單明細，非系統正常操作的收入不會在裡面。例如應收系統立的雜項收入，又例如傳票系統直接立的總帳收入，都不會在「銷貨明細表」中，造成報表編製上的困難。這種情況下，想把所有收入彙總在一起跑樞紐分析表，必須多花點心思，分別說明如下：

1. 系統跑出來的銷貨明細表。有客戶、出貨單號、銷貨金額，還有一欄是傳票編號，空白表示尚未開票立帳（暫估），有編號表示是已立帳的傳票號。

	A	B	C	D
1	客戶名稱	傳票編號	出貨單號	銷貨金額
2	A		SS-1509001	100,000
3	A		SS-1509002	300,000
4	A	SA-1509001	SS-1509003	500,000
5	B	SA-1509002	SS-1509004	200,000
6	B	SA-1509003	SS-1509005	400,000
7	B	SA-1509004	SS-1509006	600,000
8	C	SA-1509005	SS-1509007	100,000
9	C	SA-1509006	SS-1509008	300,000
10	C		SS-1509009	500,000

2. 除了正常出貨帶來的收入，還有尚未建存貨料號，沒辦法打出貨單，直接在總帳系統輸入的總帳樣品收入，另外還有已經出貨，客戶卻要求降價，訂單單價已鎖住無法修改，直接在應收系統打雜項調整收入。

	A	B	C	D	E
1	總帳收入：				
2	傳票編號	科目名稱	摘要	借方	貸方
3	SA-1509008	銷貨收入	客戶D樣品出貨		200,000
4	SA-1509009	銷貨收入	客戶D樣品出貨		400,000
5	SA-1509010	銷貨收入	客戶D樣品出貨		600,000
6	雜項收入：				
7	業務員	客戶名稱	帳款編號	帳款金額	備註
8	王平平	E	AR-1509001	10,000	單價調降
9	王平平	E	AR-1509002	30,000	單價調降
10	王平平	E	AR-1509003	50,000	單價調降

3 想把總帳收入和雜項收入，人工套進系統「銷貨明細表」中，欄位部份必須相符，最終跑出來的樞紐才有意義。以總帳收入為例，先將「銷貨明細表」四個欄位複製過來，後面加上兩個欄位：「備註」、「性質」。利用公式將欄位內容自動帶出：「=MID(C2,3,1)」、「=A2」、「=E2」、「=RIGHT(C2,4)」。至於「性質」欄位的「總帳收入」，直接輸入文字，和公式一樣，把游標下拉即可填滿。

fx =MID(C2,3,1)

G	H	I	J	K	L
客戶名稱	傳票編號	出貨單號	銷貨金額	備註	性質
D	SA-1509008		200,000	樣品出貨	總帳收入
D	SA-1509009		400,000	樣品出貨	總帳收入
D	SA-1509010		600,000	樣品出貨	總帳收入

4 雜項收入是相同作法，公式更簡單：「=B8」、「=C8」、「=D8」、「=E8」。

fx =B8

G	H	I	J	K	L
客戶名稱	傳票編號	出貨單號	銷貨金額	備註	性質
E	AR-1509001		10,000	單價調降	雜項收入
E	AR-1509002		30,000	單價調降	雜項收入
E	AR-1509003		50,000	單價調降	雜項收入

5 欄位弄好，便能直接複製值到「銷貨明細表」下方，於報表標題欄位加上「備註」及「性質」。原銷貨明細表的「性質」欄位，輸入公式：「=IF(C2=" "," 暫估收入 "," 立帳收入 ")」，如此能把「暫估收入」和「立帳收入」標註清楚。

G2 fx =IF(C2="","暫估收入","立帳收入")

B	C	D	E	F	G
客戶名稱	傳票編號	出貨單號	銷貨金額	備註	性質
A		SS-1509001	100,000		暫估收入
A		SS-1509002	300,000		暫估收入
A	SA-1509001	SS-1509003	500,000		立帳收入
B	SA-1509002	SS-1509004	200,000		立帳收入
B	SA-1509003	SS-1509005	400,000		立帳收入
B	SA-1509004	SS-1509006	600,000		立帳收入
C	SA-1509005	SS-1509007	100,000		立帳收入
C	SA-1509006	SS-1509008	300,000		立帳收入
C		SS-1509009	500,000		暫估收入
D	SA-1509008		200,000	樣品出貨	總帳收入
D	SA-1509009		400,000	樣品出貨	總帳收入
D	SA-1509010		600,000	樣品出貨	總帳收入
E	AR-1509001		10,000	單價調降	雜項收入
E	AR-1509002		30,000	單價調降	雜項收入
E	AR-1509003		50,000	單價調降	雜項收入

6. 因應管理報表需要，可再加一欄「客戶地區」判斷欄位：「=IF(B2="B","美國",IF(B2="E","歐洲","亞洲"))」，這是兩層的若P則Q公式。

H5 　 f_x =IF(B5="B","美國",IF(B5="E","歐洲","亞洲"))

B	C	D	E	F	G	H
客戶名稱	傳票編號	出貨單號	銷貨金額	備註	性質	客戶地區
A		SS-1509001	100,000		暫估收入	亞洲
A		SS-1509002	300,000		暫估收入	亞洲
A	SA-1509001	SS-1509003	500,000		立帳收入	亞洲
B	SA-1509002	SS-1509004	200,000		立帳收入	美國
B	SA-1509003	SS-1509005	400,000		立帳收入	美國
B	SA-1509004	SS-1509006	600,000		立帳收入	美國
C	SA-1509005	SS-1509007	100,000		立帳收入	亞洲
C	SA-1509006	SS-1509008	300,000		立帳收入	亞洲
C		SS-1509009	500,000		暫估收入	亞洲
D	SA-1509008		200,000	樣品出貨	總帳收入	亞洲
D	SA-1509009		400,000	樣品出貨	總帳收入	亞洲
D	SA-1509010		600,000	樣品出貨	總帳收入	亞洲
E	AR-1509001		10,000	單價調降	雜項收入	歐洲
E	AR-1509002		30,000	單價調降	雜項收入	歐洲
E	AR-1509003		50,000	單價調降	雜項收入	歐洲

7. 報表整理好就可以跑樞紐了，選取所有範圍，設置好「樞紐分析表欄位清單」。

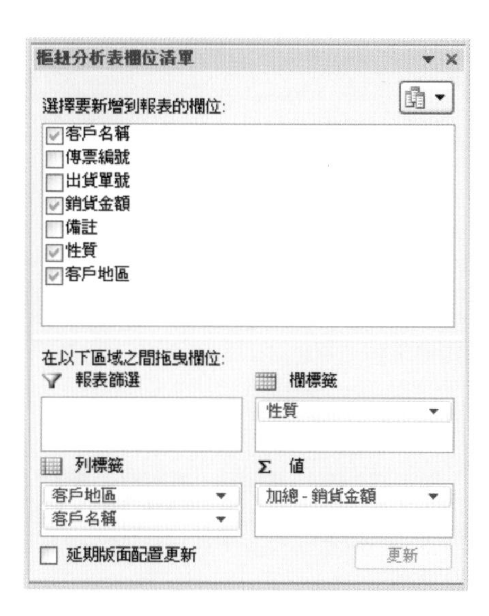

8 跑出來的樞紐分析表，稍加修飾一下，便是可以列印的銷貨收入彙總表。

	A	B	C	D	E	F	G
1	加總 - 銷貨金額		性質				
2	客戶地區	客戶名稱	立帳收入	雜項收入	暫估收入	總帳收入	總計
3	⊟美國	B	1,200,000				1,200,000
4	美國 合計		1,200,000				1,200,000
5	⊟歐洲	E		90,000			90,000
6	歐洲 合計			90,000			90,000
7	⊟亞洲	A	500,000		400,000		900,000
8		C	400,000		500,000		900,000
9		D				1,200,000	1,200,000
10	亞洲 合計		900,000		900,000	1,200,000	3,000,000
11	總計		2,100,000	90,000	900,000	1,200,000	4,290,000

9 如果想調整客戶類別的順序，將游標移到有個減號的「亞洲」地方，按滑鼠右鍵點選「移動」>「移動 " 亞洲 " 到開頭」。

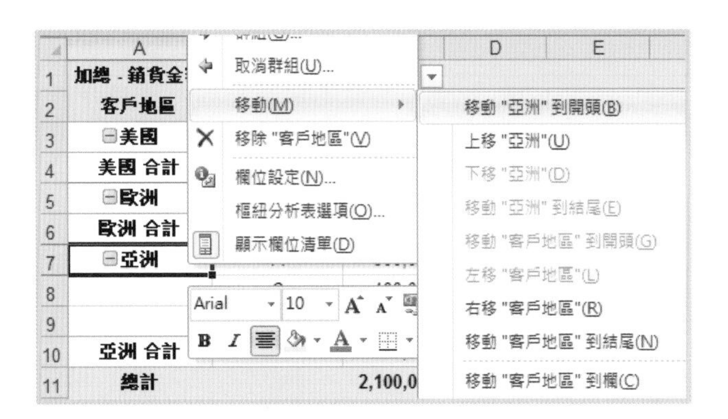

10 調整好順序的銷貨明細表如下圖。

	A	B	C	D	E	F	G
1	加總 - 銷貨金額		性質				
2	客戶地區	客戶名稱	立帳收入	雜項收入	暫估收入	總帳收入	總計
3	⊟亞洲	A	500,000		400,000		900,000
4		C	400,000		500,000		900,000
5		D				1,200,000	1,200,000
6	亞洲 合計		900,000		900,000	1,200,000	3,000,000
7	⊟美國	B	1,200,000				1,200,000
8	美國 合計		1,200,000				1,200,000
9	⊟歐洲	E		90,000			90,000
10	歐洲 合計			90,000			90,000
11	總計		2,100,000	90,000	900,000	1,200,000	4,290,000

這一節利用新增調整欄位的方式，硬是把總帳收入和雜項收入，加到了系統的銷貨明細表中，以便跑出樞紐分析表。這麼做似乎多此一舉，但還是有它的好處。最主要是兩點：一、從樞紐分析表上每一個彙總金額，在數字上點兩下，馬上會在新工作表上展開明細，非常方便；二、每個月報表格式都統一且單一，可以直接將不同月份的報表加在一起，便成了一個季度或是一個年度的明細資料，在統計分析時，也是非常方便。

6.3 產品別毛利分析

財務報表結帳完成之後，只有損益表和資產負債表並不足夠，它總結了財務狀況和經營績效，卻沒有提供管理決策上任何參考指標，必須再進行財務分析，其中最主要的，便是產品別銷貨毛利。公司的營業收入來自於產品銷售，公司的利潤所得也是來自於產品銷售，因此瞭解各項產品的毛利情形，至關重要。在此介紹如何善用 Excel 作這方面的管理報表：

1. 下表為兩個月的銷貨成本明細。

	A	B	C	D	E
1	月份	產品	收入	成本	毛利
2	1507	A010	1,000	800	200
3	1507	A020	1,000	800	200
4	1507	A030	1,000	800	200
5	1507	B010	2,000	1,800	200
6	1507	B020	2,000	1,800	200
7	1507	B030	2,000	1,800	200
8	1508	A010	3,000	2,400	600
9	1508	A020	3,000	2,400	600
10	1508	A030	3,000	2,400	600
11	1508	B010	4,000	3,600	400
12	1508	B020	4,000	3,600	400
13	1508	B030	4,000	3,600	400

2. 類似像這樣的資料最適合跑樞紐分析表，例如彙總出兩個月的產品別收入統計。

	A	B	C	D
1	**加總 - 收入**	**欄標籤**		
2	**列標籤**	**1507**	**1508**	**總計**
3	A010	1,000	3,000	4,000
4	A020	1,000	3,000	4,000
5	A030	1,000	3,000	4,000
6	B010	2,000	4,000	6,000
7	B020	2,000	4,000	6,000
8	B030	2,000	4,000	6,000
9	**總計**	**9,000**	**21,000**	**30,000**

3. 料號首碼是產品類別，套個公式：「=LEFT(B13,1)」，將每個料號的產品別抓出來。

C13 | f_x =LEFT(B13,1)

	A	B	C	D	E	F
1	月份	產品	產品別	收入	成本	毛利
2	1507	A010	A	1,000	800	200
3	1507	A020	A	1,000	800	200
4	1507	A030	A	1,000	800	200
5	1507	B010	B	2,000	1,800	200
6	1507	B020	B	2,000	1,800	200
7	1507	B030	B	2,000	1,800	200
8	1508	A010	A	3,000	2,400	600
9	1508	A020	A	3,000	2,400	600
10	1508	A030	A	3,000	2,400	600
11	1508	B010	B	4,000	3,600	400
12	1508	B020	B	4,000	3,600	400
13	1508	B030	B	4,000	3,600	400

4. 再跑一次樞紐，或者直接重新整理即可，將列標籤裡的「產品」改成上一步驟的「產品別」，就變成是產品大類別的月份收入統計。

	A	B	C	D
1	加總 - 收入	欄標籤		
2	列標籤	1507	1508	總計
3	A	3,000	9,000	12,000
4	B	6,000	12,000	18,000
5	總計	9,000	21,000	30,000

5. 像這種情況，並不需要兩個月的總計（列總計），將游標在樞紐分析表範圍內任意點選一下，上方功能區會出現「樞紐分析表工具」，依序再選擇：「設計」>「總計」>「僅開啟欄」。原本預設是「開啟列與欄」，現在等於是關閉列總計。

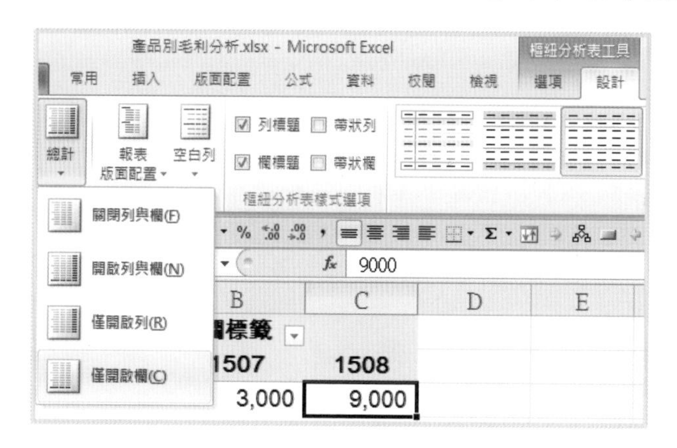

6 為了方便說明，依照 A、B 產品資料，複製出 C、D 產品，一起加到樞紐彙總。在分析表後面加個公式：「=B3/B$7」，第 7 行是總計欄，用「$」固定起來，從 D 欄往右拉到 E 欄、再往下拉到第 7 行，即可得到各產品當月的佔營收比。

D3 =B3/B$7

	A	B	C	D	E
1	收入	月份			
2	產品別	1507	1508	佔營收比	
3	A	3,000	9,000	17%	21%
4	B	6,000	12,000	33%	29%
5	C	3,000	9,000	17%	21%
6	D	6,000	12,000	33%	29%
7	總計	18,000	42,000	100%	100%

7 按住「Ctrl」不放，同時按住上一步驟的工作表，往右邊拖曳，可以快速複製工作表，在新工作表上的分析表，把欄位清單裡的「收入」改成「毛利」。

	A	B	C
1	毛利	月份	
2	產品別	1507	1508
3	A	600	1,800
4	B	600	1,200
5	C	600	1,800
6	D	600	1,200
7	總計	2,400	6,000

8 將上一步驟的分析表，貼到第六步驟的分析表旁邊。收入跟毛利擺在一起後，Excel 樞紐分析表預設是按字母排序，所以兩個表同一行會是同類產品，在毛利彙總表後面輸入公式：「=G8/B8」，拉完後便架好了毛利率。如此就能夠很清楚看出兩個月份，產品別的營收比重及毛利率變化情形。

	A	B	C	D	E	F	G	H	I	J
1	收入	月份				總 - 毛	月份			
2	產品別	1507	1508	佔營收比		產品別	1507	1508	毛利率	
3	A	3,000	9,000	17%	21%	A	600	1,800	20%	20%
4	B	6,000	12,000	33%	29%	B	600	1,200	10%	10%
5	C	3,000	9,000	17%	21%	C	600	1,800	20%	20%
6	D	6,000	12,000	33%	29%	D	600	1,200	10%	10%
7	總計	18,000	42,000	100%	100%	總計	2,400	6,000	13%	14%

這篇文章所介紹的彙總方式，特別適用於產品銷售組合的毛利率分析，因為所需要的資訊：營收金額、營收佔比、毛利金額、毛利率、以及兩個月的總金額、總毛利率，全都在同一張工作表上了，非常一目瞭然。只要把這個表架好，很容易可以看出產品別的比重變化，並且能分析出因此造成的毛利差異。

6.4 應付帳款異常項目

會計科目分成實帳戶與虛帳戶，虛帳戶是損益科目，每期結清，實帳戶是資產負債科目，每期一直累積所有交易的變動。因為實帳戶有累積的歷史特性，通常要看財會部門的帳務品質，最基本的，就是實帳戶的科目餘額表。所以每次結完帳，會計人員應當編製好科餘明細，逐一檢查異常項目。以應付帳款為例，檢查的重點在於負數應付（扣款折讓）和逾期應付（一年以上），在此介紹如何運用 Excel 協助檢查：

1. 應付帳款的科餘明細表。一般主要欄位有廠商、帳款單號、應付款日、應付金額。

	A	B	C	D	E	F
1	項次	廠商	帳款日期	帳款編號	應付款日	本幣金額
2	1	顯一	2015/04/28	AP11-15040225	2015/09/16	13,534.05
3	2	顯一	2015/05/31	AP11-15050149	2015/10/16	41,537.34
4	3	顯一	2015/06/30	AP11-15060032	2015/11/16	55,567.57
5	4	顯一	2015/08/31	AP11-15080118	2016/01/18	41,090.40
6	5	伸二	2015/08/10	AP21-15080002	2015/08/10	(2,000.00)
7	6	伸二	2014/01/14	AP11-14010009	2014/01/24	3,900.00
8	7	伸二	2015/05/31	AP11-15050155	2015/09/16	927.65
9	8	國三	2013/09/18	AP13-13090001	2013/11/15	4,534.36
10	9	國三	2015/04/30	AP11-15040200	2015/09/16	23,111.24
11	10	國三	2015/05/31	AP11-15050134	2015/10/16	19,017.02
12	11	國三	2015/08/31	AP21-15080007	2015/08/31	(3,966.04)

2. 圈選所有報表範圍，在上方功能區依序選擇：「資料」、「篩選」。除了圈選範圍，也可以將游標移到左邊列數的「1」，點一下，會發現整個第一列都會選中了，再篩選即可。

3 想篩選出小於零的帳款，點擊儲存格 F1「本幣金額」的右下邊三角形選單：「數字篩選」>「小於」。

4 跳出「自訂自動篩選」視窗，「顯示符合條件的列」下的「小於」的右邊欄位輸入「0」，表示僅顯示「本幣金額」小於零的行列。這裡還能再加一個「且」或者「或」的條件，不過目前範例用不到。

5 篩選結果是小於零才會出現，仔細看最左邊的列數軸，非小於零的沒有被刪除，只是被隱藏了。

	A	B	C	D	E	F
1	項次	廠商	帳款日期	帳款編號	應付款日	本幣金額
6	5	伸二	2015/08/10	AP21-15080002	2015/08/10	(2,000.00)
12	11	國三	2015/08/31	AP21-15080007	2015/08/31	(3,966.04)

6 除了金額篩選，還想針對日期作篩選。因為篩選範圍相同，只要改變篩選條件即可，所以執行「資料」>「清除」。

7 清除之後，將游標移到「應付款日」儲存格，點開右邊三角形選單，移到「日期篩選」，因為 Excel 中的許多預設選項都不是我們需要的，可進入「自訂篩選」自行設定。

8 於左邊的篩選方式下拉選單中選擇「之前或等於」，右邊欄位直接輸入「2014-12-31」，或者利用日期視窗輔助輸入。

9 顯示結果如同條件所設定，都是「2014/12/31 之前」的應付帳款。

	A	B	C	D	E	F
1	項次	廠商	帳款日期	帳款編號	應付款日	本幣金額
7	6	伸二	2014/01/14	AP11-14010009	2014/01/24	3,900.00
9	8	國三	2013/09/18	AP13-13090001	2013/11/15	4,534.36

篩選是相當直覺又便利的 Excel 工具，不須套用函數公式，只要於視窗化欄位直接輸入條件，便會顯示符合條件篩選的行列。只要操作正確，篩選結果就不會有誤，比起人工一筆一筆找，耗費時間又很容易疏漏，較為有效。當然，如果是很重要的事項，自動作業完成之後，最好還是手工抽檢一兩筆，主要是避免條件設定錯誤。

6.5 逾期應收帳款

會計人員除了結帳和切傳票，經常要以各科目為出發點，追蹤管理異常項目。其中屬於應收帳款部份，最重要莫過於逾期帳款。如今 ERP 這麼普遍，建制完整的系統都可以跑出應收帳款帳齡表或逾期表。然而，系統報表雖然方便，很多情況還是需要自己整理、或者是想檢查系統報表是否無誤，凡此種種，都必須善用 Excel 功能，在此分紹：

1. 既然涉及到日期天數，首先就要瞭解 Excel 裡有哪些相關函數。在上方功能區裡，選取「公式」頁籤，拉出「日期及時間」清單，這些就是 Excel 跟日期相關函數，以這篇文章範例而言，最有用的函數是「TODAY」。

2. 「按 F1 取得更多說明」，Excel 官方對於 TODAY 函數的說明為：「傳回目前日期序列值。此序列值是 Microsoft Excel 用以從事日期及時間計算的代碼。如果儲存格格式在輸入函數之前是 [通用]，則結果的格式會是日期格式。」簡言之，此函數將傳回今天的日期，由於應收帳款逾期多以現在為基礎計算，因此能抓出當天日期的函數，特別有用。

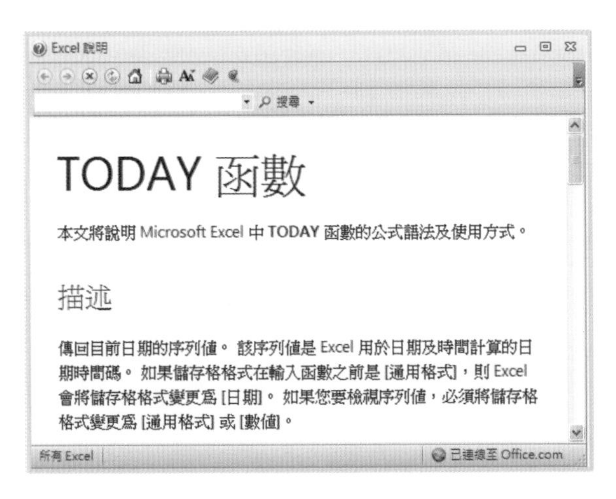

3 在應收帳款明細表輸入公式：「=TODAY()」，計算結果是返回當天日期。。

E1 =TODAY()

	A	B	C	D	E
1	客戶	帳款	應收金額	應收款日	2016-6-20
2	甲	AR001	1,000	16/01/01	
3	甲	AR002	2,000	16/02/02	
4	甲	AR003	3,000	16/03/03	
5	甲	AR004	4,000	16/04/04	

4 有收款日，有當天日期，相減（「=$E$1－D2」），便得到逾期天數。

E2 =$E$1-D2

	A	B	C	D	E
1	客戶	帳款	應收金額	應收款日	2016-6-20
2	甲	AR001	1,000	16/01/01	171
3	甲	AR002	2,000	16/02/01	140
4	甲	AR003	3,000	16/03/01	111
5	甲	AR004	4,000	16/04/01	80
6	乙	AR005	1,000	16/05/01	50
7	乙	AR006	2,000	16/06/01	19
8	乙	AR007	3,000	16/07/01	(11)
9	乙	AR008	4,000	16/08/01	(42)

5 今天減掉應收款日，正的表示已經逾期，負的表示尚未逾期，但其實尚未逾期顯示零即可，並不需要負數，而且希望一併將 TODAY 這個函數寫入公式，不再另外設置儲存格，綜合起來可輸入公式：「=IF((TODAY()－D2)<0,0, (TODAY()－D2))」，也可以使用「MAX」函數：「=MAX((TODAY()－D2),0)」。

E2 =MAX((TODAY()-D2),0)

	A	B	C	D	E
1	客戶	帳款	應收金額	應收款日	逾期天數
2	甲	AR001	1,000	16/01/01	171
3	甲	AR002	2,000	16/02/01	140
4	甲	AR003	3,000	16/03/01	111
5	甲	AR004	4,000	16/04/01	80
6	乙	AR005	1,000	16/05/01	50
7	乙	AR006	2,000	16/06/01	19
8	乙	AR007	3,000	16/07/01	0
9	乙	AR008	4,000	16/08/01	0

6 逾期天數是比較瑣碎，很多情況只需要逾期月份即可，看起來簡單明瞭。輸入公式：「=ROUNDDOWN(E2/30,0)」，意思是把天數除以 30，無條件捨去法取到整數。除了「ROUNDDOWN」，還有「ROUNDUP」無條件進位法取位，「ROUND」是四捨五入法取位，可以視需要情況使用。

=ROUNDDOWN(E2/30,0)

C	D	E	F
應收金額	應收款日	逾期天數	逾期月份
1,000	16/01/01	171	5
2,000	16/02/01	140	4
3,000	16/03/01	111	3
4,000	16/04/01	80	2
1,000	16/05/01	50	1

7 「TODAY」這個函數抓的是當天日期，這是優點、同時也是缺點。因為日期一直在變動，幾天後再打開檔案，會發現逾期天數變了。準備月末或季度資料、或者是會計師查帳時，想要將基準日固定在某個日期（通常是期末），有兩個方法：其一是設置基準日期的儲存格：「=DATE(2016,3,31)」，其二是直接將基準日期寫入公式：「=MAX((DATE(2016,3,31)−D2),0)」。

F2 =MAX((DATE(2016,3,31)-D2),0)

	A	B	C	D	E	F
1	客戶	帳款	應收金額	應收款日	2016-3-31	逾期天數
2	甲	AR001	1,000	16/01/01	90	90
3	甲	AR002	2,000	16/02/01	59	59
4	甲	AR003	3,000	16/03/01	30	30
5	甲	AR004	4,000	16/04/01	0	0
6	乙	AR005	1,000	16/05/01	0	0
7	乙	AR006	2,000	16/06/01	0	0
8	乙	AR007	3,000	16/07/01	0	0
9	乙	AR008	4,000	16/08/01	0	0

這篇文章範例為應收帳款，在會計人的管理報表中，只要涉及到日期，需要計算天數，都可以套用本章所介紹的公式，例如應付帳款延遲付款天數、存貨周轉天數、銀行借款利息天數等。

原始報表整理

7.1 尋找取代欄位標題

通常報表的第一列是各個欄位，這些欄位，有時是 ERP 系統報表預設的，有時是樞紐分析表跑出來的，更有些時候是人工一筆一筆輸入的。不管欄位一開始如何怎麼設置，當我們想要批次修改所有欄位名稱，以達到美觀或其他需求。例如在跑樞紐分析表時，每一欄都有一個「加總－」，這個其實有點多餘和累贅，在此分享如何批次修改欄位標題，讓報表更加簡潔美觀：

1. 銷貨收入毛利彙總表。是由明細清單跑樞紐分析表所彙總出來的資料，習慣樞紐的讀者，應該也很習慣每個欄位前面都有個「加總－」。

	A	B	C	D
1	客戶	加總-銷貨數量	加總-銷貨金額	加總-銷貨毛利
2	AAA	1,000	10,000	2,000
3	BBB	2,000	20,000	4,000
4	CCC	3,000	30,000	6,000
5	DDD	4,000	40,000	8,000
6	EEE	5,000	50,000	10,000
7	總計	15,000	150,000	30,000

2. 將游標移到 B1 儲存格，再移到資料編輯列，圈選文字串「加總－」，使其反黑，按快速組合鍵「Ctrl+C」，如此即能輕鬆複製文字串到剪貼簿中。

B1 fx 加總-銷貨數量

	A	B	C	D
1	客戶	加總-銷貨數量	加總-銷貨金額	加總-銷貨毛利
2	AAA	1,000	10,000	2,000
3	BBB	2,000	20,000	4,000

3. 游標停留在報表內的某個儲存格，例如 C4，按快速組合鍵「Ctrl+A」，可快速全選整個報表。

	A	B	C	D
1	客戶	加總-銷貨數量	加總-銷貨金額	加總-銷貨毛利
2	AAA	1,000	10,000	2,000
3	BBB	2,000	20,000	4,000
4	CCC	3,000	30,000	6,000
5	DDD	4,000	40,000	8,000
6	EEE	5,000	50,000	10,000
7	總計	15,000	150,000	30,000

4. 在上方功能區中的「常用」頁籤，將「編輯」模塊裡的「尋找與選取」下拉，選擇「取代（R）」:「取代文件中的文字」，快速組合鍵是「Ctrl+H」。

5. 在跳出來的視窗中，將游標移到「尋找目標（N）」輸入欄位，「Ctrl+V」將剪貼簿裡的「加總 –」貼上，「取代成（E）」保留空白不去動它，然後按「全部取代（A）」。

6. 會出現已取代筆數的視窗訊息。

7 回到原來的報表，所有的「加總－」都被空白所取代了，也就是被刪除了。

	A	B	C	D
1	客戶	銷貨數量	銷貨金額	銷貨毛利
2	AAA	1,000	10,000	2,000
3	BBB	2,000	20,000	4,000
4	CCC	3,000	30,000	6,000
5	DDD	4,000	40,000	8,000
6	EEE	5,000	50,000	10,000
7	總計	15,000	150,000	30,000

本節主要介紹 Excel 批次尋找並取代的功能，在實例操作的過程中，同時運用諸如「Ctrl+C」（複製）、「Ctrl+A」（全選）、「Ctrl+H」（取代）、「Ctrl+V」（貼上）等快速組合鍵。從做中學是最有效、也是最扎實的學習方法，只要熟悉了這些常用快速鍵，在操作 Excel 時，一定更加事半功倍。

7.2 函數修改欄位標題

上一節介紹如何尋找取代，批次修改欄位標題。方法是運用 Excel 本身的命令工具，這個作法有兩項限制：一是程式參數是固定的，相較於函數來說，靈活度較低，二是計算結果直接體現，原有儲存格的資料就被改變了。有時候，這兩點在 Excel 操作上不是很便利，以下將介紹如何使用函數達到相同的效果：

1. 銷貨收入毛利彙總表是很標準的資料庫報表，第一列是各個欄位，第二列開始是一筆一筆的資料。

	A	B	C	D
1	客戶	銷貨數量	銷貨金額	銷貨毛利
2	AAA	1,000	10,000	2,000
3	BBB	2,000	20,000	4,000
4	CCC	3,000	30,000	6,000
5	DDD	4,000	40,000	8,000
6	EEE	5,000	50,000	10,000
7	總計	15,000	150,000	30,000

2. 輸入公式：「=" 五月 "&B2」，其中左右引號「""」表示是文字字串，「&」是連接字串的運算符號。

B1 fx ="五月"&B2

	A	B	C	D
1		五月銷貨數量	五月銷貨金額	五月銷貨毛利
2	客戶	銷貨數量	銷貨金額	銷貨毛利
3	AAA	1,000	10,000	2,000
4	BBB	2,000	20,000	4,000
5	CCC	3,000	30,000	6,000

3 也可以輸入公式：「=CONCATENATE(" 五月 ",B2)」，CONCATENATE 函數的用法效果，和「&」相同，一個是直接在資料編輯列輸入，一個是開窗依序輸入，就操作效率而言，其實也沒多大區別。

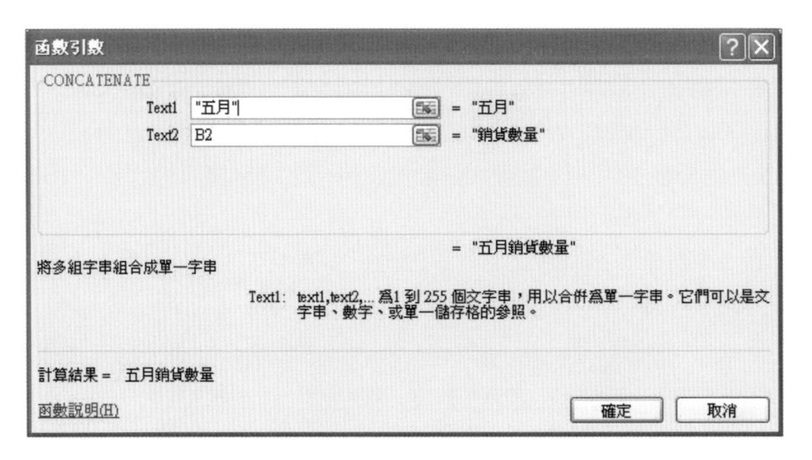

4 公式：「=SUBSTITUTE(B2," 加總－銷貨 "," 總 ")」。作用和上一篇文章的尋找取代相同：「將字串中的部份字串以新字串取代。」這裡是將欄位名稱精簡，把「加總－銷貨」以「總」取代掉。

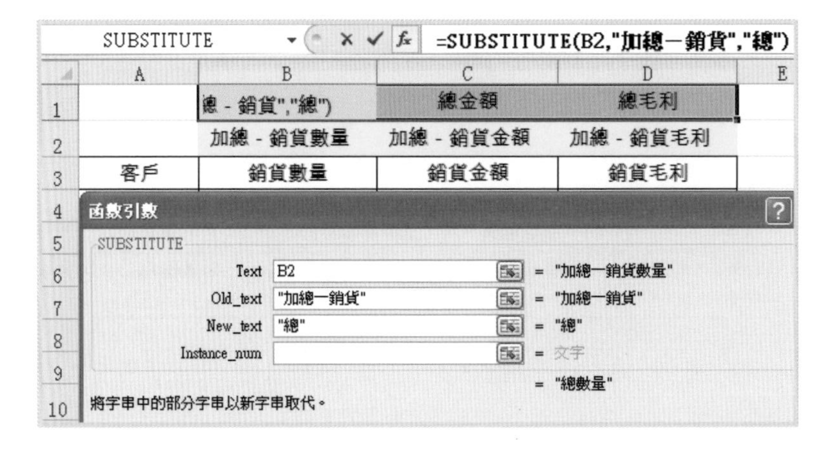

5 操作類似整行函數引用的情形時，原始資料可能會增刪或是重新排序，如此引用過來的結果也會有問題，所以最好養成習慣，公式引用好了，馬上選取範圍，先「Ctrl+C」快速複製，然後按右鍵：「選擇性貼上」>「貼上值」>「值與來源格式設定」，表示只貼上原儲存格的數值，並且套用原本的格式設定。

總數量 總毛利
加總 - 銷貨數量 - 銷貨毛利
銷貨數量 銷貨毛利
1,0 2,000
2,0
3,0
4,0
5,0
15,0
剪下(T)
複製(C)
貼上選項:
選擇性貼上(S)...
插入複製的儲存格(E)...
刪除(D)...
清除內容(N)
篩選(E)
排序(O)
插入註解(M)
儲存格格式(F)...
貼上
貼上值
其他貼上選項
選擇性貼上(S)...

6 仔細看資料編輯列，原來的引用已經去掉了，現在是單純的儲存格文字內容。

B1 fx 總數量

	A	B	C	D
1		總數量	總金額	總毛利
2		加總 - 銷貨數量	加總 - 銷貨金額	加總 - 銷貨毛利
3	客戶	銷貨數量	銷貨金額	銷貨毛利
4	AAA	1,000	10,000	2,000
5	BBB	2,000	20,000	4,000
6	CCC	3,000	30,000	6,000

7 最後稍加整理新的欄位，刪掉先前留下來的舊欄列。有興趣的讀者，可以試看看不選擇性貼上，直接把舊欄位刪掉看看會出現什麼結果，想必真正試過一次，便能理解用意所在。

	A	B	C	D
1	客戶	總數量	總金額	總毛利
2	AAA	1,000	10,000	2,000
3	BBB	2,000	20,000	4,000
4	CCC	3,000	30,000	6,000
5	DDD	4,000	40,000	8,000
6	EEE	5,000	50,000	10,000
7	總計	15,000	150,000	30,000

這篇文章使用了函數「CONCATENATE」和「SUBSTITUTE」，其實以文字類函數而言，這兩個算是比較單純的，整個合併或取代，沒有考慮到字元位置的因素。日後有機會，再來介紹諸如「FIND」、「REPLACE」、「SEARCH」等較為複雜的文字函數。

7.3 自動填滿空白欄位

ERP 系統導出來的報表，為了閱讀和列印的美觀效果，有時候同一張單據的單頭只會顯示一行，後面才是一筆一筆的單身資料。例如出貨明細表，前面是出貨單、客戶、負責業務等訊息，後面是出貨明細項目。這樣的報表雖然簡潔美觀，但是對於 Excel 處理上，包括樞紐、篩選、排序等操作，不是很方便。因此需要先將空白儲存格填滿，在此分享具體作法：

1. 出貨明細表：出貨單和業務欄彙總顯示一行，下面有的空白，表示為同一張單據省略。很多 ERP 導出的報表，格式皆是如此。我們希望填滿空白部份，輸入公式引用上一儲存格資料的公式：「＝B2(SS001)」及「＝C2(甲一)」，如圖標黃色所示。

fx =B2

B	C	D	E	F
出貨單	業務	料號	數量	金額
SS001	甲一	IN001	100	1,000
SS001	甲一	IN002	100	1,000
SS002	甲一	IN001	100	0
		IN002	100	0
SS003	甲一	IN001	100	1,200
		IN002	100	1,200
SS004	乙二	IN001	100	1,000
		IN002	100	1,000
SS005	乙二	IN001	100	1,500
		IN002	100	1,500
SS006	乙二	IN001	100	1,000
		IN002	100	1,000

2. 按快捷組合鍵「Ctrl＋C」，一次複製兩個公式，那兩個儲存格會出現複製公式的金光閃閃線條。此時選取想要處理的範圍（A5:B13），按快速功能鍵「F5」，跳出「到」視窗，點擊左下角的「特殊（S）」，表示想選擇範圍裡的某些特定條件的儲存格。

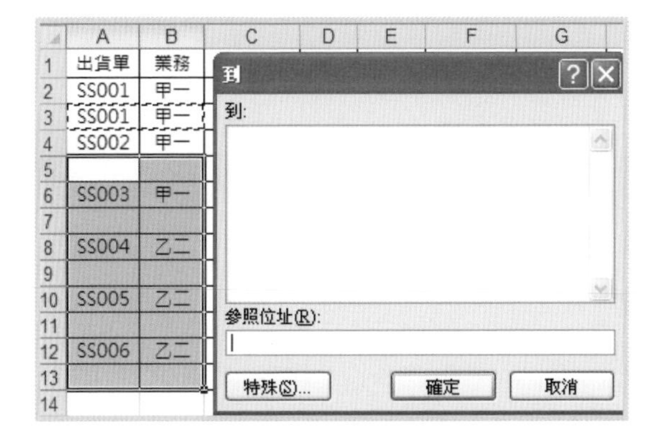

③ 在「特殊目標」視窗中，選擇「空格」，按「確定」。

④ 如圖所示，可以看到已選取（A5:B13）範圍內所有的空格，並且剛才複製公式的儲存格還在閃，表示公式仍在等待貼上中。

	A	B
1	出貨單	業務
2	SS001	甲一
3	SS001	甲一
4	SS002	甲一
5		
6	SS003	甲一
7		
8	SS004	乙二
9		
10	SS005	乙二
11		
12	SS006	乙二
13		

5 按快速組合鍵「Ctrl+V」，可一次將公式複製到剛才已選取的全部空格，神奇的是所有單頭資料都補上了，ERP 報表沒有幫我們做的，Excel 幫我們做到了。

3	SS001	甲一
4	SS002	甲一
5	SS002	甲一
6	SS003	甲一
7	SS003	甲一
8	SS004	乙二
9	SS004	乙二
10	SS005	乙二
11	SS005	乙二
12	SS006	乙二
13	SS006	乙二

6 經過處理過後的報表如下圖，常使用 Excel 的會計人，一定愛死了像這樣的報表。

	A	B	C	D	E
1	出貨單	業務	料號	數量	金額
2	SS001	甲一	IN001	100	1,000
3	SS001	甲一	IN002	100	1,000
4	SS002	甲一	IN001	100	0
5	SS002	甲一	IN002	100	0
6	SS003	甲一	IN001	100	1,200
7	SS003	甲一	IN002	100	1,200
8	SS004	乙二	IN001	100	1,000
9	SS004	乙二	IN002	100	1,000
10	SS005	乙二	IN001	100	1,500
11	SS005	乙二	IN002	100	1,500
12	SS006	乙二	IN001	100	1,000
13	SS006	乙二	IN002	100	1,000

這一節所分享的填滿空白儲存格，使用到 Excel 本身預設的命令工具，在實務上，輸入函數公式可以達到相同效果，並且因應報表本身的特性，能夠靈活運用，有時候工具命令做不到的，函數公式多一些變化就能達到，具體內容請繼續住下看。

7.4 函數公式填滿空白

對於電話簿、薪資清冊這類筆數龐大的資料，Excel 有專門查找和統計的工具。不過有個前提，這些資料必須以資料庫的方式架構組成：第一列是各個欄位，接下去一列一筆資料，每筆資料具有各欄位不同的屬性。以電話簿為例，每個人是一筆資料，每個人有各自的電話和地址，如果在 Excel 以上述方式依序排好，便是完美的 Excel 報表，可以直接使用各項工具運算。

財會人員經常使用 ERP 系統下的各種報表，系統各個模組報表都有十幾二十個，例如庫存明細表或是明細分類帳，筆數資料龐大，很多時候需要使用「篩選」和「樞紐」，以便統計呈現出各個庫別或是會科的數量金額，或者是僅僅依照特定條件，「查找」某一筆料號或傳票，諸如此類的操作，前提是報表本身具備資料庫的序列特性。

實務上常遇到 ERP 報表不夠完整，某個欄位屬性名稱，只掛在第一筆，其餘下面儲存格因為重覆，全部保留空白，不利於資料整理。這時候得花點心思，將系統報表微加工，整理成資料庫格式，具體方法如下：

1. ERP 系統跑出來的庫存明細表，如圖所示，倉庫 A 欄位，只要和上一列重覆的，就保留空白。

	A	B	C
1	倉庫	料號	數量
2	原料倉	A001	2100
3		A002	1200
4		A003	1200
5	半成品倉	B001	1200
6		B002	1200
7		B003	1200
8	成品倉	C001	1200
9		C002	4000
10		C003	4300

2 在 A 欄旁邊插入新的一欄，在資料編輯列輸入公式：「=IF(A2="",B1,A2)，意思是如果 A2 是空白，引用 B1 儲存格的內容，否則（A2 不是空白）就引用 A2 儲存格的空容。輸入時 Excel 會出現函數説明。

fx =IF(A2="",B1,A2

IF(logical_test, [value_if_true], [value_if_false])

3 除了資料編輯列的英文説明，無論什麼函數，只要是正在輸入公式，都可以將游標移到「fx」，浮動視窗顯示「插入函數」，點擊即會跳出函數輸入引數的視窗。

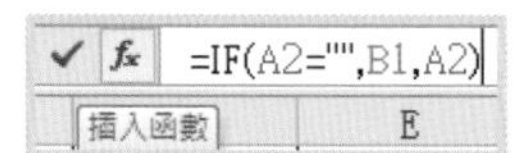

4 IF 函數的引數視窗，左下角有個「函數説明（H）」，可以超連結到微軟 Excel 教室。像 IF 這樣的函數應該大家都很熟，不過，如果是想學習嘗試新的函數，或者是拿到其他 Excel 高手的檔案，其中使用到陌生函數，這個時候引數視窗和函數説明便很管用。

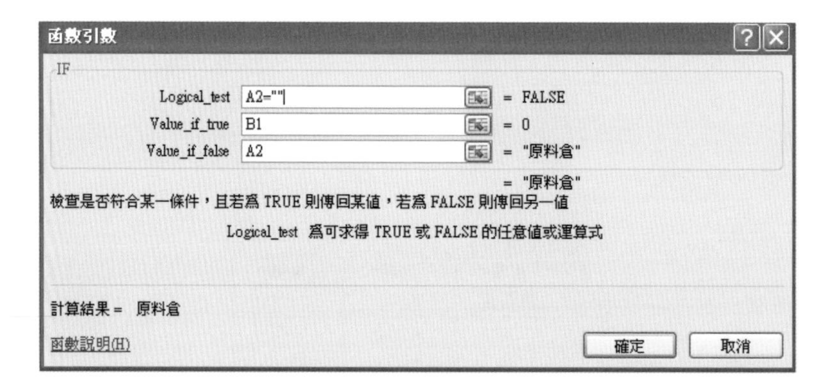

5 回到工作表，將游標移到 B2 儲存格右下角，游標會從白粗十字變成黑細十字，此時按住滑鼠左鍵往下拉，就能填滿公式了。這種狀況，應該搭配本章第二節提到的，選擇性貼上值，將公式引用變成是儲存格本身的內容，避免之後如果有刪除或排序，原本資料會跑掉。

	A	B
1	倉庫	
2	原料倉	原料倉
3		原料倉
4		原料倉
5	半成品倉	半成品倉
6		半成品倉
7		半成品倉
8	成品倉	成品倉
9		成品倉
10		成品倉

6 上一節介紹以「到」命令工具，自動填滿空格，這一節介紹以函數方式自動填滿，相較之下，似乎函數較為麻煩，但是某些場合，函數的靈活性可以派上用場。例如，有時候 ERP 報表是如圖所示，先是一欄倉庫別，接下來是儲位、料號、數量等欄位，在一組倉庫資料明細之後，又是新的一項倉庫。如此形式的報表，並不適合使用「到」工具命令。

	A	B	C
1		倉庫	原料倉
2	儲位	料號	數量
3	甲	A001	2100
4	乙	A002	1200
5	丙	A003	1200
6		倉庫	半成品倉
7	儲位	料號	數量
8	甲	B001	1200
9	乙	B002	1200
10	丙	B003	1200

7 依照報表資料結構，公式設計上也作相對應變化：「=IF(C1=" 倉庫 ",D1,B1)」，往下拉，輕鬆實現欄位資料填滿的需求，新增了這一欄，在處理 Excel 報表會更將得心應手。

B2 fx =IF(C1="倉庫",D1,B1)

	A	B	C	D	E
1			倉庫	原料倉	
2	儲位	原料倉	料號	數量	
3	甲	原料倉	A001	2100	
4	乙	原料倉	A002	1200	
5	丙	原料倉	A003	1200	
6		原料倉	倉庫	半成品倉	
7	儲位	半成品倉	料號	數量	
8	甲	半成品倉	B001	1200	
9	乙	半成品倉	B002	1200	
10	丙	半成品倉	B003	1200	

從這一節的兩個實例來看，函數公式並不一定要很複雜，只要能運用函數特性，稍加變化，便可以因應資料結構，達到合乎預期的結果。只不過，在這裡想提醒一點，公式設計，是建立在對於資料特性的理解，有時候資料量龐大，有可能出現偏差資料，造成公式計算錯誤，所以越是複雜資料、筆數越多，最好還是抽核幾筆、或者就總數核對，驗證公式是否需要修改。

7.5 取消儲存格合併

這一章介紹如何以函數和工具填滿空白儲存格。在實務上經常會合併部份儲存格，成為一個大欄位或資料值，這樣的報表雖然美觀，可是如此一來，即使適當選取範圍了，在篩選或建立樞紐分析表時，還是會出現障礙。此時可以利用先前章節類似方法，取消儲存格合併，以下介紹具體操作：

1. 如圖所示，每個部級包含兩個課級，每個課級有相對應的成本分攤基礎（機時或工時）。為了報表美觀，會將部級儲存格予以合併。但如同一開始所述，合併不利於 Excel 資料處理，所以必須取消合併。

部級	課級	分攤方式
製造一部	成型一課	標準機時
	組裝一課	標準工時
製造二部	成型二課	標準機時
	組裝二課	標準工時

2. 為了方便說明，複製新增一欄，在新增的 B 欄取消合併。先選取 B 欄範圍，按下快速組合鍵「Ctrl+1」，出現「儲存格格式」視窗，移到「對齊方式」頁籤，在「文字控制」區塊中，將「合併儲存格」前面框框的勾勾點掉。

部級	部級
製造一部	製造一部
製造二部	製造二部

儲存格格式
數值 對齊方式 字型 外框 填滿 保護
文字對齊方式
水平(H):
縮排(I):
垂直(V):
置中對齊
文字前後留白(E)
文字控制
自動換列(W)
縮小字型以適合欄寬(K)
合併儲存格(M)
從右至左
文字方向(T):
內容

3 原本合併儲存格裡面的文字，都跑到上方第一格，其它儲存格是空白。像這樣，雖然取消合併了，資料卻變得不完整，最好是能填滿。

	A	B
1	部級	部級
2	製造一部	製造一部
3		
4		
5		
6		
7	製造二部	製造二部
8		
9		
10		
11		

4 首先是第一種方法，在 B3 儲存格中，輸入公式：「=B2」，引用上一個儲存格資料的公式，然後在 B3 按快速組合鍵「Ctrl+C」，先把公式複製起來。

B3 | fx =B2

	A	B	C	D
1	部級	部級	課級	分攤方式
2	製造一部	製造一部	成型一課	標準機時
3		製造一部		
4				
5			組裝一課	標準工時
6				

5 選取 B4:B11 的範圍，按快速功能鍵「F5」，出現「到（定位）」視窗，按下「特殊」。

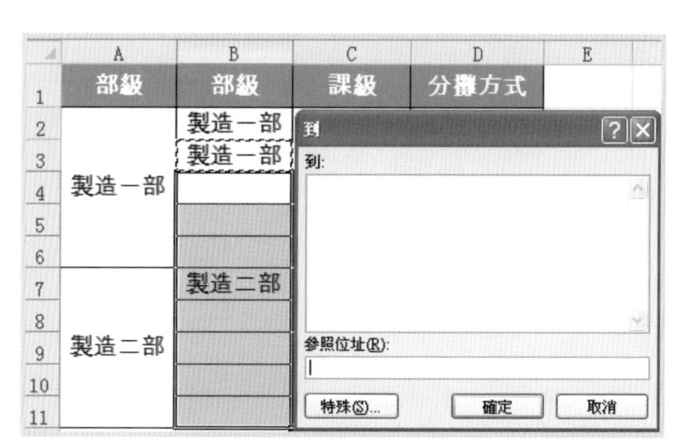

6 我們的目標就是把空格填滿，請在跳出來的「特殊目標」視窗中，點選「空格」。

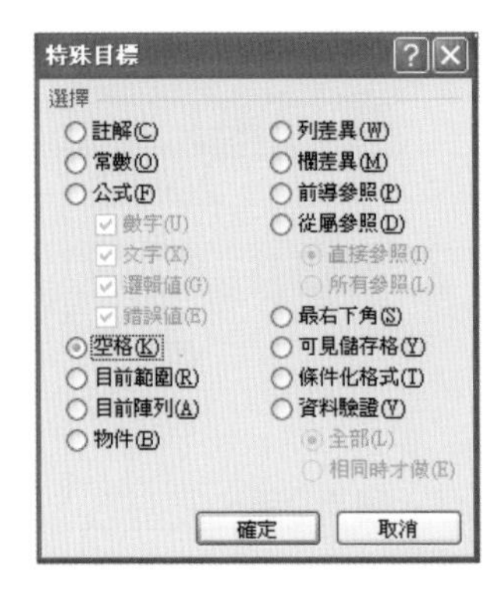

7 如此即可選取範圍內所有的空格，從另外一個角度來說，也就是並非空白的 B7 被取消選取了。

	A	B
1	部級	部級
2		製造一部
3		製造一部
4	製造一部	
5		
6		
7		製造二部
8		
9	製造二部	
10		
11		

8 按快速組合鍵「Ctrl+V」，將剪貼簿裡的公式複製貼上，也就是所有空格都貼上「引用上一個儲存格資料值」的公式，效果如同預期，所有空格都被填滿了。

	A	B	C	D
1	部級	部級	課級	分攤方式
2		製造一部		
3		製造一部	成型一課	標準機時
4	製造一部	製造一部		
5		製造一部	組裝一課	標準工時
6		製造一部		
7		製造二部	成型二課	標準機時
8		製造二部		
9	製造二部	製造二部		
10		製造二部	組裝二課	標準工時
11		製造二部		

9 還有個更簡單的方法：利用合併儲存格的資料特性，先新增空白的 B 欄位，從 B2 到 B11 引用左邊 A 欄儲存格的資料值（公式 =A2, =A3,...）。可以看出，除了合併第一格是文字外（B2 和 B7），其餘都是空格（資料值為 0）。基於這個特性，在 C 欄輸入公式：「=IF(B2=0,C1,B2)」，意思是左邊欄位的資料值如果是零，引用上一個儲存格，如果不是零，就直接引用左邊欄位資料，結果就會出現取消合併後的資料。

C2　=IF(B2=0,C1,B2)

	A	B	C	D	E
1	部級			課級	分攤方式
2	製造一部	製造一部	製造一部	成型一課	標準機時
3		0	製造一部		
4		0	製造一部		
5		0	製造一部	組裝一課	標準工時
6		0	製造一部		
7	製造二部	製造二部	製造二部	成型二課	標準機時
8		0	製造二部		
9		0	製造二部	組裝二課	標準工時
10		0	製造二部		
11		0	製造二部		

從填滿空白儲存格，到取消合併儲存格，本章用到的 Excel 小技巧大同小異，可以依實務遇上的問題使用不同的技巧，當你多熟悉了一些技巧，便能成為你手上的法寶，可以利用它來解決往後可能會遇到的難題。

MEMO

成本結算應用

8.1 成本結算 SOP 流程製作

財會例行工作中，成本結算的流程最為複雜。很多公司財務部，特別是已經導入 ERP 系統計算成本，都會針對這個流程編製一套 SOP 流程說明書，一方面，適合用來教育新進會計人員，另一方面，也能確保每次結算成本，應該有的系統作業沒有被忽略掉。

很多人喜歡用 Word 編製 SOP，我自己是偏好 Excel，因為 Excel 格式處理上很自由，剪剪貼貼、移來移去也很方便。通常成本 SOP 多達十幾二十個步驟，工作表一多，難免雜亂，筆者建議設置超連結，可以輕鬆地在每個步驟（工作表）作切換，以下介紹具體流程：

1. 如圖所示有三個步驟，分別的程式畫面和說明寫在每一個工作表上，並且有個彙總的 SOP 首頁。

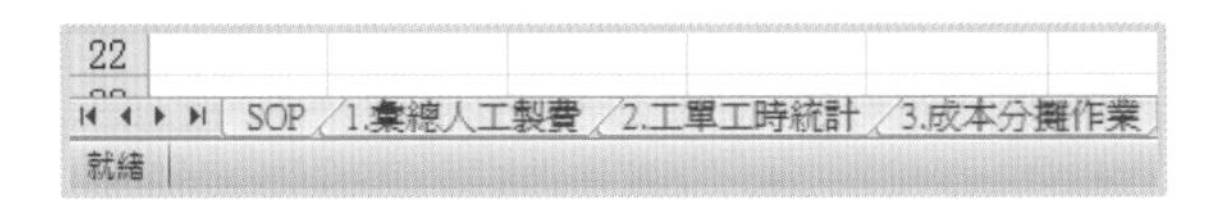

2. Excel 超連結工具，在上方功能區「插入」頁籤裡的「超連結」模塊。

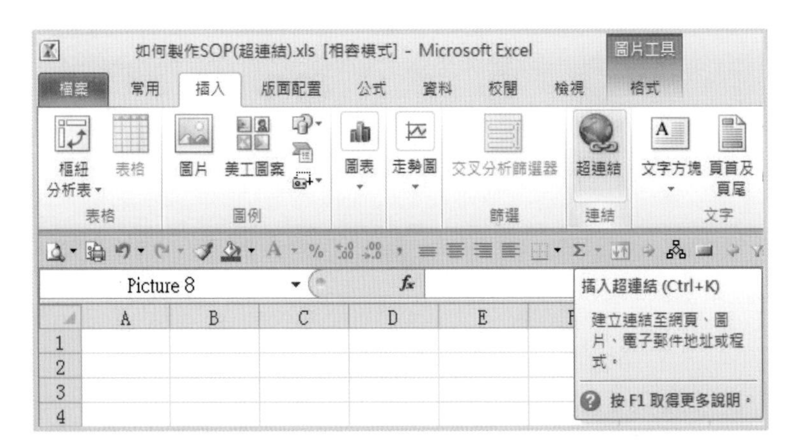

3. 出現「編輯超連結」視窗，因為是在同一個 Excel 工作簿，就不同工作表編製超連結，所以左邊模塊選擇「這份文件中的位置」，找到這次想要超連結的工作表：「1. 彙總人工製費」，在這視窗可以編輯「顯示的文字（T）」、還可以「輸入儲存格位址（E）」。

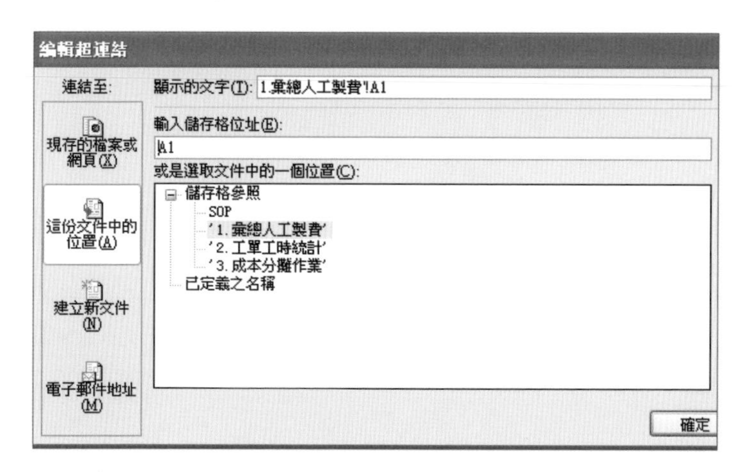

4. 結果如圖所示，有一條表示超連結的下橫線，滑鼠移到上面點一下，馬上跳到指定工作表的 A1 儲存格。

	A	B	C
1			
2		1.彙總人工製費'!A1	
3			

5. 依序再建立其餘的工作表超連結，加上步驟說明美化格式，一份還不賴的 SOP 說明書，於焉編製而成。

	A	B
1	步驟	說明
2	1.彙總人工製費	收集總帳系統當月所有人工製費，導入成本結算系統。
3	2.工單工時統計	依照標準工時率，計算當月入庫工單各製程的工時。
4	3.成本分攤作業	依照系統設置分攤方式，計算各製程的單位工時 再計算每張工單成本，加權平均。

⑥ 除了在首頁有各個步驟的超連結，最好在各個步驟的工作表左上角，加一個回到首頁的超連結，在視窗裡修改顯示文字：「回到 SOP 首頁」。

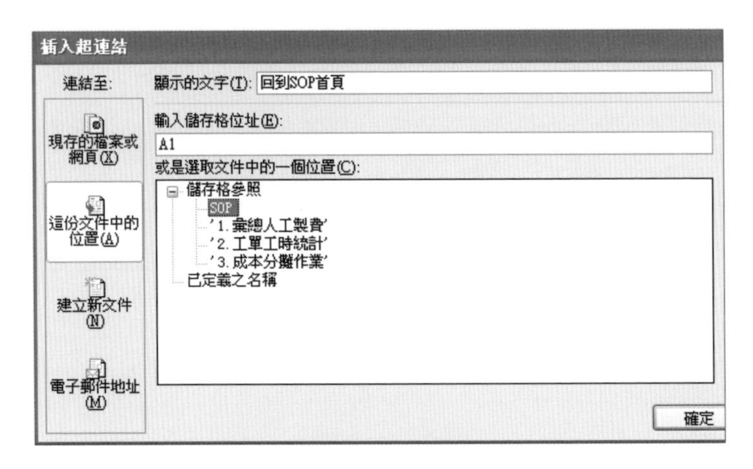

⑦ 不管目前在哪個步驟工作表，都能隨時隨地按下「回到 SOP 首頁」超連結回到目錄首頁。

本節所提供的 SOP 範例經過簡化，只有三個步驟，實務上的系統成本結算流程，步驟通常有十幾個以上，Excel 檔案使用上較為麻煩。如果能利用者這裡介紹的方法，在每個工作表插入超連結，就可以迅速在首頁和步驟之間來回，相當方便。

8.2 間接部門成本分攤設置

成本分攤是將當月份的人工製費，結算到各個工單工段上，會計實務上，通常以部門會科為一組單位，分攤到預設的製程工段上。例如，間接製造部門的各項會科費用，須分攤到所有工段，第一個是生管的薪資費用，第二個是品保的薪資費用，第三個是生管的攤銷費用，接下來依此類推，所有部門會科必須設置好，才能將當月份所發生的間接部門人工制費，全部分攤到當月份的製造工單上。剛開始導入系統結算成本時，先要討論決定出分攤方案，在系統裡依照方案做好相關設置。以下用 Excel 的方式，介紹分攤表：

1. 首先如圖所示，三個工段，兩個間接部門，四個會科，因此將有 3×2×4 = 24 項分攤設置。

	A	B	C	D	E
1	序號	工段	權數	部門	會科
2	1	A	20%	生管	511
3	2	B	30%	品保	512
4	3	C	50%		513
5	4				514

2. 依照成本結算原則所設置的分攤表。四個會科依序分攤給三個工段，依照既定的分攤權數，第一個部門好了，接下來第二個部門。每個部門有 4×3 = 12 項，兩個部門總共有 24 項，擷圖資料項次看起來很多，但這只是完整表格的一部份。

	A	B	C	D	E
1	序號	部門	會科	工段	權數
2	1	生管	511	A	20%
3	2	生管	511	B	30%
4	3	生管	511	C	50%
5	4	生管	512	A	20%
6	5	生管	512	B	30%
7	6	生管	512	C	50%
8	7	生管	513	A	20%
9	8	生管	513	B	30%
10	9	生管	513	C	50%
11	10	生管	514	A	20%
12	11	生管	514	B	30%
13	12	生管	514	C	50%
14	13	品保	511	A	20%
15	14	品保	511	B	30%
16	15	品保	511	C	50%
17	16	品保	512	A	20%

3 先介紹簡單卻妙用無窮的 Row 函數。微軟的官方說明：傳回參照位址中的列號，簡單講就是找出儲存格所在的列號。依照這個函數定義，輸入公式「=ROW(C2)−1」，游標移到儲存格右下角，會變成小黑十字架，連按滑鼠左鍵兩次，便可將公式往下拉，完成序列。

fx =ROW(C2)-1

B	C
序號	部門
1	
2	
3	
4	
5	
6	

4 再來設置工段。有三個工段，ABC 會一直循環，先手工在 D2 到 D4 輸入前三個 ABC，然後在 D5 儲存格輸入公式：「=D2」，同樣將公式往下拉。

fx =D2

D	E
工段	權數
A	
B	
C	
A	
B	
C	
A	
B	
C	

5 工段設好了，再利用 VLOOKUP 函數引用分攤權數：「=VLOOKUP(D2, 分攤!B:C, 2,0)」，往下拉就能輕鬆完成。在這裡，實際引用來源只有 B2 到 C4 範圍，所以用「分攤 !B:C」和「分攤 !$B$2:$C$4」效果相同，前者在輸入公式較為簡便，後者因為使用「$」將引用範圍固定住，不會每個公式都跑一整個 B 欄 C 欄，較為節省 Excel 計算資源。

fx =VLOOKUP(D2,分攤!$B$2:$C$4,2,0)

D	E	F
工段	權數	
A	20%	
B	30%	
C	50%	
A	20%	
B	30%	
C	50%	

6 會科的公式稍微複雜。因為有三個工段，每個會科要先重複三次，再跳到下個會科，並且之後將用 VLOOKUP 函數把會科拉過來，所以要想辦法做出像 111222333 的排序內容。在此使用的公式是：「=INT((ROW(C2)−2)/3）+1」。INT 函數是將小數點去掉，保留整數，例如 C2 儲存格的「1」，便是 (2–2)/3 的整數值（0）再加 1，計算出來的值是「1」，往下儲存格每個列號會加 1，整體計算結果如圖所示。

C2 =INT((ROW(C2)-2)/3)+1

	A	B	C	D	E
1	序號	部門	會科	工段	權數
2			1	A	20%
3			1	B	30%
4			1	C	50%
5			2	A	20%
6			2	B	30%
7			2	C	50%
8			3	A	20%
9			3	B	30%
10			3	C	50%
11			4	A	20%

7 和第五步驟相同架構的公式，以 VLOOKUP 引用分攤設置的會科代碼。第 13 列開始是「＃ N/A」，這是因為只有四個會科，依照 INT 函數計算結果，在第 13 列開始是 5 以上，VLOOKUP 公式搜尋不到，會返回錯誤訊息。

=VLOOKUP(INT((ROW(C2)-2)/3)+1,分攤!$A$2:$E$5,5,0)

B	C	D	E	F
部門	會科	工段	權數	
	511	A	20%	
	511	B	30%	
	511	C	50%	
	512	A	20%	
	512	B	30%	
	512	C	50%	
	513	A	20%	
	513	B	30%	
	513	C	50%	
	514	A	20%	
	514	B	30%	
	514	C	50%	
	#N/A	A	20%	

8 規律是四的倍數以上，回到 1 再重新跑，可利用除法餘數的函數「MOD」。如果是四的倍數，餘數為 0，利用 IF 判斷函數將 0 變成 4，其餘情況直接取除以四的餘數即可，順著這思惟所設計的公式為：

=IF(MOD(F14,4)=0,4,MOD(F14,4))

fx =IF(MOD(F14,4)=0,4,MOD(F14,4))

C	D	E	F
會科	工段	權數	
1	A	20%	1
1	B	30%	1
1	C	50%	1
2	A	20%	2
2	B	30%	2
2	C	50%	2
3	A	20%	3
3	B	30%	3
3	C	50%	3
4	A	20%	4
4	B	30%	4
4	C	50%	4
1	A	20%	5
1	B	30%	5

9 將 ROW、INT、MOD、VLOOKUP 函數組合起來，完整公式是一長串：「=VLOOKUP(IF(MOD(INT((ROW(C14)−2)/3)+1,4)=0,4,MOD(INT((ROW(C14)−2)/3)+1,4)), 分攤 !$A$2:$E$5,5,0)」。姑且不論其閱讀困難度，計算結果是我們要的，這個最重要。不過心裡難免會有個想法，這麼麻煩，不如直接像工段那樣，先輸入一個完整循環（12 筆資料），然後第 13 筆開始套公式：「=C2」，往下拉就好了。

如此想法也沒有錯，只是當會科數量有變化，例如從四個增加成六個，公式便必須重新調整。如果在一開始將公式設計好，日後參數倘若有變動，只要在分攤設置表更新，所有資料便會同步更新，一步到位。以成本結算的分攤設置而言，保留參數變動的彈性，比較合乎實際。

=VLOOKUP(IF(MOD(INT((ROW(C14)-2)/3)+1,4)=0,4,
MOD(INT((ROW(C14)-2)/3)+1,4)),分攤!$A$2:$E$5,5,

B	C	D	E
部門	會科	工段	權數
	511	A	20%
	511	B	30%
	511	C	50%
	512	A	20%
	512	B	30%
	512	C	50%
	513	A	20%
	513	B	30%
	513	C	50%
	514	A	20%
	514	B	30%
	514	C	50%
	511	A	20%
	511	B	30%

10 設計函數公式時，一方面是讓公式易於閱讀理解，另方面為了將思惟邏輯更清楚呈現、方便偵錯，實務上常常將各個函數區塊拆分，例如 F 欄是 Int 函數取值、G 欄是 Mod 函數取值、C 欄是最後 VLOOKUP 結果的呈現。以此思維邏輯設計公式，看是將中間過程的欄位隱藏，或者是貼上值之後刪除皆可。不過要提醒的是，如果要刪除，原始公式最好留存備查。

=VLOOKUP(G2,分攤!$A$2:$E$5,5,0)

C	D	E	F	G
會科	工段	權數	循環1	循環2
511	A	20%	1	1
511	B	30%	1	1
511	C	50%	1	1
512	A	20%	2	2
512	B	30%	2	2
512	C	50%	2	2
513	A	20%	3	3
513	B	30%	3	3
513	C	50%	3	3
514	A	20%	4	4
514	B	30%	4	4
514	C	50%	4	4
511	A	20%	5	1
511	B	30%	5	1

11 部門部份，以相同思維設計公式即可，端視其幾列循環一次，更改參數值，也可以於分攤設置表填上循環次數，直接引用，如果部門數量有變動，可直接更新分攤設置表。

fx =VLOOKUP(INT((ROW(C2)-2)/12)+1,分攤!$A$2:$D$3,4,0)

B	C	D	E	F
序列	部門	會科	工段	權數
1	生管	511	A	20%
2	生管	511	B	30%
3	生管	511	C	50%
4	生管	512	A	20%
5	生管	512	B	30%
6	生管	512	C	50%
7	生管	513	A	20%
8	生管	513	B	30%
9	生管	513	C	50%
10	生管	514	A	20%
11	生管	514	B	30%
12	生管	514	C	50%
13	品保	511	A	20%
14	品保	511	B	30%

在所有會計參數中，成本分攤的資料量應該是最多的。假設有 5 個部門 10 個會科 3 個工段，將有（5×10×3=150）項分攤項目，任何參數只要多一個，資料就會多一倍，不好處理。一筆一筆在 ERP 系統輸入，不但耗時也容易出錯。較為可行的方法是請資訊人員提供系統可接受的資料格式，借助 Excel 函數，將分攤設置依照格式建置好，批次導入系統。

本章節所介紹的，便是構建成本分攤表的實例，其中所涉及到的函數，雖然不常用，但是在處理大量資料的情況下，有時候是相當便利，而且合乎直觀思維。

8.3 直接部門成本分攤設置

上一節介紹間接部門的成本分攤設置，由於間接部門的成本，會分攤到所有製程工段，設置上較為單純，直接部門情況不同，各生產部門有其專屬的製程工段，設置相對複雜一些，以下介紹具體操作：

1 直接部門的成本分攤設置，範例簡化為三個直接生產部門，分別有 2、1、3 個製程工段項次，只有兩個會科。

	A	B	C	D
1	序號	部門	工段	會科
2	1	製一課	2	511
3	2	製二課	1	512
4	3	製三課	3	

2 三個部門相對應專屬的工段，如表格所列。

	A	B	C
1	序號	部門	工段
2	1	製一課	A
3	2	製一課	B
4	3	製二課	C
5	4	製三課	D
6	5	製三課	E
7	6	製三課	F

3 暫不考慮公式函數怎麼設計，若以手工一筆一筆輸入，最終想要的結果如圖所示。

	A	B	C	D	E
1	序號	部門	會科	工段	權數
2	1	製一課	511	A	50%
3	2	製一課	512	A	50%
4	3	製一課	511	B	50%
5	4	製一課	512	B	50%
6	5	製二課	511	C	100%
7	6	製二課	512	C	100%
8	7	製三課	511	D	33%
9	8	製三課	512	D	33%
10	9	製三課	511	E	33%
11	10	製三課	512	E	33%
12	11	製三課	511	F	33%
13	12	製三課	512	F	33%

4. 生產部門依序有 2、1、3 個工段，每組部門工段又各有兩個會科，所以分別有 4、2、6 筆資料，將 E 欄公式設為 C 欄乘以 2，即可得到該資料。以項次而言，1-4 是「製一課」、5-6 是「製二課」、7-12 是「製三課」。設計一個簡單的公式：「=C4*2+F4」，把項次帶出來。第一列儲存格 F2 必須設為 0，所以最好是第一列和第二列都手動輸入，沒辦法直接帶相同的公式。

F5 =C4*2+F4

	A	B	C	D	E	F
1	序號	部門	工段	會科	循環	項次
2	1	製一課	2	511	4	0
3	2	製二課	1	512	2	5
4	3	製三課	3		6	7
5	4					13

5. 找出規律並加以整理，下一步即是引用資料。希望序號 1-4 是 1、序號 5-6 是 2、序號 7-12 是 3，就可以把部門資料帶過來。使用 Lookup 函數「=LOOKUP(A8, 分攤 !$F$2:$F$5, 分攤 !$A$2:$A$5)」，意思是在「分攤」這張工作表的儲存格 F2 到 F5 範圍內，找出 A8（值為 7）的相對位置，並根據這個位階，傳回 A2 到 A5 相對應的值。

Lookup 函數特性是查找範圍（F2:F5）必須是遞增順序排列，如果找不到相同的值，函數會去抓小於或等於查找值中的最大值。以「B8」儲存格的公式計算為例，查找值是 A8（7），查找範圍中（F2:F5）沒有 7，這個範圍內 {0,5,7,13} 小於等於 7 的最大值是 7，傳回範圍中（A2:A5）和 7（F4）相同位階的是 A4，傳回的值是 3。

FIND =LOOKUP(A8,分攤!$F$2:$F$5,分攤!$A$2:$A$5)

	A	B	C	D	E	F	G
1	序號		部門	會科	工段	權數	
2	1	1					
3	2	1					
4	3	1					
5	4	1					
6	5	2					
7	6	2					
8	7	$A$5)					
9	8	3					
10	9	3					
11	10	3					
12	11	3					
13	12	3					

函數引數

LOOKUP

A8 = 7

分攤!$F$2:$F$5 = {0;5;7;13}

分攤!$A$2:$A$5 = {1;2;3;4}

= 3

從單列或單欄範圍，或是陣列中找出一元素值。其目的在於回溯相容性

計算結果 = 3

函數說明(H) 確定 取消

6 部門順序排出來之後，便可以輕鬆 VLOOKUP 部門名稱：「=VLOOKUP(B2,分攤 !$A$2:$B$4,2,0)」。

=VLOOKUP(B2,分攤!$A$2:$B$4,2,0)

B	C	D	E
	部門	會科	工段
1	製一課		
1	製一課		
1	製一課		
1	製一課		
2	製二課		
2	製二課		
3	製三課		
3	製三課		

7 會科部份只有兩個依序重複循環，可以簡便處理，利用函數「ISODD」判斷是否為奇數：「=IF(ISODD(B2), 部門 !$D$2, 部門 !$D$3)」，倘若序號為奇數，引用分攤設置表的「D2」，否則的話引用「D3」。

=IF(ISODD(B2),分攤!$D$2,分攤!$D$3)

B	D	E	F
序號	部門	會科	工段
1	製一課	511	
2	製一課	512	
3	製一課	511	
4	製一課	512	
5	製二課	511	
6	製二課	512	

8 部門工段的部份，依照先前方式整理出循環規律：「=D3+1」。

E3 =D3+1

	A	B	C	D	E
1	序號	部門	工段	循環	項次
2	1	製一課	A	2	0
3	2	製一課	B	2	3
4	3	製二課	C	2	5
5	4	製三課	D	2	7
6	5	製三課	E	2	9
7	6	製三課	F	2	11

9 再用 LOOKUP 把工段的順序表排出來：「=LOOKUP(A2, 工段 !$E$2:$E$7, 工段 !$A$2:$A$7)」。

E2 | =LOOKUP(A2,工段!$E$2:$E$7,工段!$A$2:$A$7)

	A	C	D	E	F	G
1	序號	部門	會科		工段	權數
2	1	製一課	511	1		
3	2	製一課	512	1		
4	3	製一課	511	2		
5	4	製一課	512	2		
6	5	製二課	511	3		
7	6	製二課	512	3		

10 把工段順序排出來之後，和先前步驟一樣，以 VLOOKUP 帶出工段名稱：「=VLOOKUP(E2, 工段 !$A$2:$C$7,3,0)」。

=VLOOKUP(E2,工段!$A$2:$C$7,3,0)

D	E	F	G
會科		工段	權數
511	1	A	
512	1	A	
511	2	B	
512	2	B	
511	3	C	
512	3	C	
511	4	D	
512	4	D	
511	5	E	
512	5	E	
511	6	F	
512	6	F	

11 權數部份，設置為平均分攤，公式輸入：「=1/VLOOKUP(C2, 分攤 !$B$2:$C$4,2,0)」。看起來似乎會有尾差，但其實 Excel 的計算位數很夠，加總合計是 1。不過實務上，還是要看 ERP 系統小數點位數的設置情形，再看看是否要修正。

G2			fx	=1/VLOOKUP(C2,分攤!$B$2:$C$4,2,0)

	A	C	D	F	G	H
1	序號	部門	會科	工段	權數	
2	1	製一課	511	A	50%	
3	2	製一課	512	A	50%	
4	3	製一課	511	B	50%	
5	4	製一課	512	B	50%	
6	5	製二課	511	C	100%	
7	6	製二課	512	C	100%	
8	7	製三課	511	D	33%	
9	8	製三課	512	D	33%	
10	9	製三課	511	E	33%	
11	10	製三課	512	E	33%	
12	11	製三課	511	F	33%	
13	12	製三課	512	F	33%	

這裡的成本分攤設置是將所有部門會科完整編列，可是實務上，某個會科費用或是某個製程工段，不一定每個月都有金額或工時。某項會科沒有金額，還不會造成問題，頂多是各工段分攤到的成本為零。某項工段沒有工時，表示這個工段當月沒有生產，如果仍然設置分攤權數，如此的成本分攤便不合乎實際。比較成熟的 ERP 系統，應該會提示異常，所以有必要在結算成本之前，先作檢查，具體操作方法，在下一節介紹。

8.4 成本分攤設置檢查

成本分攤有三個主要元素：製程、工時、成本。每月結算成本時都要統計這三塊資料，將當月份所有人工製費，先依照權數分攤到各個製程，各製程再依照工單工時比例，將製程成本分攤到各個工單，由此統計出該工單應當歸屬的成本，再將此成本計算出工單產出的單位成本，最後將所有工單入庫成本，和期初成本、其他存貨異動一起加權平均，結算出當月成本。

其中，成本分攤到製程的步驟比較關鍵。有些 ERP 系統帳結算成本，是以部門會科組合為成本項目，先評估此項目該由哪些製程分攤，再設置好分攤權數，明確各製程分攤比例，因此總分攤權數合計數會是 100%。舉例而言，A 部門 5100 會科，當月共有 100 元成本，這 100 元以 3：2 比例分給 a 和 b 兩個製程。一家公司假設有 10 個部門、10 個會科、10 個製程好了，這樣就有 10×10×10=1,000 筆資料，實在不是個小數目。

更麻煩的是，費一番功夫設置好的分攤表，並不是從此一勞永逸。會計科目並非一成不變、部門組織有可能調整，某項製程也有可能當月無工時產生（表示未開工生產），有時候，甚至連分攤比例都有可能修改。凡此種種，原來的設置必須更新，否則成本結算系統會跳出錯誤訊息，拋轉的成本傳票拉不出會科。

綜上所述，分攤設置表有可能出問題，但是它資料量太大，沒辦法一筆一筆檢視是否有誤，非常需要一套能偵測出錯誤的完善機制。倘若原始系統沒有，資訊人員又沒有客製，那只能由會計人員自己處理。在此介紹 Excel 具體流程：

1. 如圖所示，分攤設置好的部門會科。仔細看標黃色部份：「5300 － D」和「5400 － A」有實際費用，但是沒有設置分攤；「5200 － C」和「5300 － A」有設置分攤，但是當月沒有費用金額。這兩種情況，都會使得成本結算出問題。在資料量大的情況下，很難用人工方式一筆一筆檢查。想要設計 Excel 函數公式偵錯，因為涉及到部門會科一組兩個變數，必須使用二維數列的概念。

	A	B	C	D	E
1	實際費用			分攤設置	
2	會計科目	部門別		會計科目	部門別
3	5100	A		5100	A
4	5100	B		5100	B
5	5100	C		5100	C
6	5200	A		5200	A
7	5200	B		5200	B
8	5300	B		5200	C
9	5300	C		5300	A
10	5300	D		5300	B
11	5400	A		5300	C

2 使用 Max 函數：「{=MAX(($E$3:$E$11=B10)*($F$3:$F$11=C10)*$E$3:$E$11)}」。公式意思是 E3 到 E11 中等於 B10、而且 F3 到 F11 中，相同列數的儲存格也要等於 C10，同時滿足這兩個條件，在 E3 到 E11 範圍內，取其中最大值。文字說明較為難懂，以實例來說，G10 儲存格公式的取值條件，是 B10、C10（會科 5300、部門 D），E3 到 E11、F3 到 F11 裡，並沒有符合的儲存格，所以 E3 到 E11 取值為零。G9 儲存格公式的取值條件，是 B9、C9（會科 5300 部門 C），E3 到 E11、F3 到 F11 裡，只有 E11、F11 這一組陣列，同時符合這兩個條件，因此在 E3 到 E11 中，取最大值即為 E11 的 5300。

fx {=MAX(($E$3:$E$11=B10)*($F$3:$F$11=C10)*$E$3:$E$11)}

B	C	D	E	F	G
實際費用			分攤設置		
會計科目	部門別		會計科目	部門別	
5100	A		5100	A	5100
5100	B		5100	B	5100
5100	C		5100	C	5100
5200	A		5200	A	5200
5200	B		5200	B	5200
5300	B		5200	C	5300
5300	C		5300	A	5300
5300	D		5300	B	0
5400	A		5300	C	0

特別再說明陣列符號「{ }」。直接在資料編輯列輸入左右大括號，Excel 會理解為文字符號，而非公式計算元素。必須先輸入公式：「=MAX(($E$3:$E$11=B10)*($F$3:$F$11=C10)*$E$3:$E$11)」之後，游標停留在資料編輯列，同時按住 Ctrl 和 Shift 不放，再按 Enter 鍵，即會自動跑出「{ }」，表示已將公式陣列化。

3. 上一個步驟可以追查出有部門費用、沒有分攤設置的部份，依照公式原理架構，將條件欄位稍加替換，便可以追查出有分攤設置、沒有部門費用的部份，公式：「{=MAX(($B$3:$B$11=E10)*($C$3:$C$11=F10)*$B$3:$B$11)}」。同樣順著上一步驟的說明架構，可以拆解出公式計算原理。

fx {=MAX(($B$3:$B$11=E8)*($C$3:$C$11=F8)*$B$3:$B$11)}

B	C	D	E	F	G
實際費用			分攤設置		
會計科目	部門別		會計科目	部門別	
5100	A		5100	A	5100
5100	B		5100	B	5100
5100	C		5100	C	5100
5200	A		5200	A	5200
5200	B		5200	B	5200
5300	B		5200	C	0
5300	C		5300	A	0
5300	D		5300	B	5300
5400	A		5300	C	5300

4. 一般遇到多條件求值，Excel 高手信手捻來便是陣列。本節將 Max 函數陣列化，恰巧合乎需求，也算是神來之筆了。不過既然是多條件求值，在此介紹名門正宗的陣列函數，輸入公式：「=SUMPRODUCT(($E$3:$E$11=B10)*($F$3:$F$11=C10))」，意思是 E3 到 E11 中等於 B10、並且 F3 到 F11 同一列數也等於 C10，這兩個條件都滿足的儲存格個數。在 G10 儲存格裡的公式，滿足條件是 B10、C10（會科 5300、部門 D），這組陣列並沒有設置分攤，所以計算結果是 0 個。上一格 G9 的公式裡，滿足條件是 B9、C9（會科 5300、部門 C），設置裡剛好有個會科部門（E11、F11）都相同的分攤組合，所以計算結果有 1 個相符。

	B	C	D	E	F	G
fx	=SUMPRODUCT(($E$3:$E$11=B10)*($F$3:$F$11=C10))					
	實際費用			分攤設置		
	會計科目	部門別		會計科目	部門別	
	5100	A		5100	A	1
	5100	B		5100	B	1
	5100	C		5100	C	1
	5200	A		5200	A	1
	5200	B		5200	B	1
	5300	B		5200	C	1
	5300	C		5300	A	1
	5300	D		5300	B	0
	5400	A		5300	C	0

5 和 Max 函數情況相同，上一個步驟是追查出有部門費用、沒有分攤設置的部份，依照公式原理架構，稍加修改公式：「=SUMPRODUCT(($E$3:$E$11=B10)*($F$3:$F$11=C10))」便可以追查出有分攤設置、沒有部門費用的部份。

	B	C	D	E	F	G
fx	=SUMPRODUCT(($B$3:$B$11=E8)*($C$3:$C$11=F8))					
	實際費用			分攤設置		
	會計科目	部門別		會計科目	部門別	
	5100	A		5100	A	1
	5100	B		5100	B	1
	5100	C		5100	C	1
	5200	A		5200	A	1
	5200	B		5200	B	1
	5300	B		5200	C	0
	5300	C		5300	A	0
	5300	D		5300	B	1
	5400	A		5300	C	1

Excel 小技巧很多，以這一節所介紹的 MAX 函數和 SUMPRODUCT 為例，透過不同的方法可以達到相同的目的。戲法人人會變，只是巧妙各有不同，多熟悉一個函數，便多了一種戲法。實務工作上遇到需要 Excel 的時候，都可以先想想，是否有適用的函數公式或命令工具，才能收事半功倍之效。

8.5 營業成本表彙總

成熟的 ERP 系統，在成本結算的模塊，必定會有一個營業成本表。因為系統的存貨分類和會計科目分類不同，有可能系統跑出來的是比較細項的存貨子分類成本表，但對於會計而言，需要的是大類別的會科營業成本表。像這種情況，可以藉助 Excel 函數公式處理，自動擷取會計上所需要的數據，以下介紹具體操作實例：

1. 如圖所示，系統跑出來的成本表，光是原料部份，分成 A 類、B 類、C 類，這些存貨類別，會計科目都是原料。然而會計上的成本表，例如給查帳會計師或稅局的報表，都必須依照會科彙總，所以要做適當的轉化。

	A	B
1	項目	金額
2	A類原料 - 期初存貨	10,000
3	A類原料 - 本期進貨	2,000
4	A類原料 - 本期出售	(3,000)
5	A類原料 - 本期領用	(5,000)
6	A類原料 - 期末存貨	4,000
7	B類原料 - 期初存貨	20,000
8	B類原料 - 本期進貨	4,000
9	B類原料 - 本期出售	(6,000)
10	B類原料 - 本期領用	(10,000)
11	B類原料 - 期末存貨	8,000
12	C類原料 - 期初存貨	60,000
13	C類原料 - 本期進貨	12,000
14	C類原料 - 本期出售	(18,000)
15	C類原料 - 本期領用	(30,000)
16	C類原料 - 期末存貨	24,000

2. 像這種情況，依照某特定內容彙總的場合，第一個想到的是「篩選」命令，依照 Excel 線上說明：「輕鬆快速地在儲存格範圍或表格欄中，找出資料子集合並加以運用。」

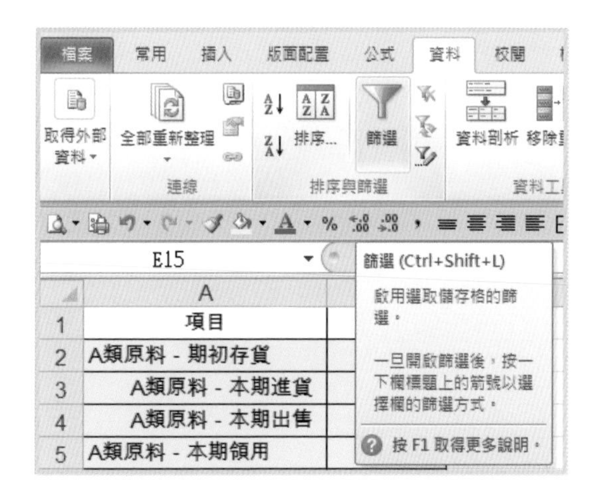

3 先選取第一列的範圍（欄位名稱所在列），依序點選「篩選」、「文字篩選」、「包含」。

4 跳出「自訂自動篩選」視窗，在預設的「包含」項目中，輸入「期初存貨」。

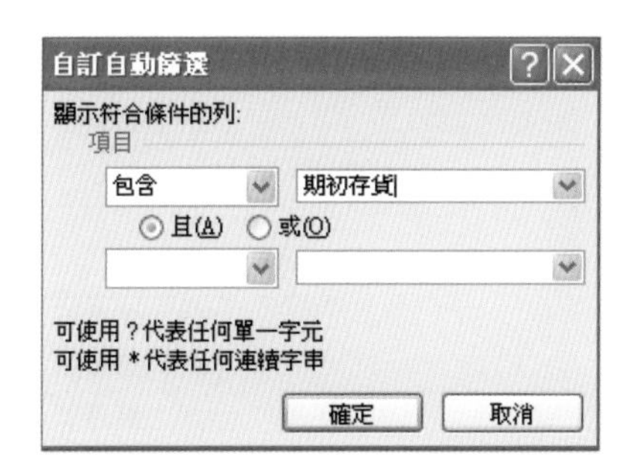

5 篩選之後，雖然看到的都是期初存貨，但仔細再看，列數是1、2、7、12，表示有隱藏資料，如此將不利於Excel資料的統計，所以再選取篩選出來的範圍，執行「到」命令（快速鍵「F5」），按下左下角的「特殊」。

6 於「特殊目標」視窗中，點選「可見儲存格」，將那些隱藏不見的列資料，例如第3列到第6列，忽略不計，所有執行命令只針對可見資料。

7 設定好了，將那些篩選後的可見儲存格複製貼上，這樣就有了期初存貨加總表，列數連續完整的表格資料，下面加了一個「期初存貨小計」。

	A	B
1	項目	金額
2	A類原料 - 期初存貨	10,000
7	B類原料 - 期初存貨	20,000
12	C類原料 - 期初存貨	60,000
17		
18		
19	項目	金額
20	A類原料 - 期初存貨	10,000
21	B類原料 - 期初存貨	20,000
22	C類原料 - 期初存貨	60,000
23	**期初存貨小計**	**90,000**

8 最後介紹以函數方式，實現期初存貨小計。D2 儲存格公式：「=SEARCH($D$1,A2)」，作用為在 A2 儲存格裡，尋找 D1 字串（期初存貨）的起始位置，計算結果是 6，因為在「A 類原料－期初存貨」中，「期初存貨」出現在第 6 個字元位置。公式中「D1」掛成「$D$1」，這樣將公式往下拉的時候，A2 會跟著往下跳 A3、A4、……，D1 則會固定住，這個掛「$」的動作，可以在資料編輯列按快速鍵「F4」達成。E2 儲存格公式：「=ISNUMBER(D2)」，作用為判斷 D2 到 D16 是否為數值，依判斷結果顯示「TRUE」或「FALSE」。F2 儲存格公式「=IF(E2,$D$1,"")」代表如果 E2 為真（TRUE），返回「D1」（固定不變），否則的話，E2 為假（FALSE），呈現空白（""）。

最後，於 F1 儲存格設定公式：「=SUMIF(F2:F16,D1,B2:B16)」作用為在 F2 到 F16 之間，如果有等於 D1 的儲存格（F2、F7、F12），加總 B2 到 B16 位於同一列號上的數值（B2、B7、B12），計算結果便是期初存貨小計（90,000）。

F1 =SUMIF(F2:F16,D1,B2:B16)

	A	B	C	D	E	F
1	項目	金額		期初存貨	小計	90,000
2	A類原料 - 期初存貨	10,000		6	TRUE	期初存貨
3	A類原料 - 本期進貨	2,000		#VALUE!	FALSE	
4	A類原料 - 本期出售	(3,000)		#VALUE!	FALSE	
5	A類原料 - 本期領用	(5,000)		#VALUE!	FALSE	
6	A類原料 - 期末存貨	4,000		#VALUE!	FALSE	
7	B類原料 - 期初存貨	20,000		6	TRUE	期初存貨
8	B類原料 - 本期進貨	4,000		#VALUE!	FALSE	
9	B類原料 - 本期出售	(6,000)		#VALUE!	FALSE	
10	B類原料 - 本期領用	(10,000)		#VALUE!	FALSE	
11	B類原料 - 期末存貨	8,000		#VALUE!	FALSE	
12	C類原料 - 期初存貨	60,000		6	TRUE	期初存貨
13	C類原料 - 本期進貨	12,000		#VALUE!	FALSE	
14	C類原料 - 本期出售	(18,000)		#VALUE!	FALSE	
15	C類原料 - 本期領用	(30,000)		#VALUE!	FALSE	
16	C類原料 - 期末存貨	24,000		#VALUE!	FALSE	

9 延續上一步驟，運用同樣方式，很快能照樣造句出本期進貨、本期出售、本期領用、期末存貨，結存調整等的小計。在公式設計上，也可以將三段合併：「=IF(ISNUMBER(SEARCH($J$6,$A2)),$J$6,"")」。只要把中間過程的 D 到 H 欄組合隱藏，留下結果的 J 到 K 欄，這就是很完美的分類項目彙總。

=IF(ISNUMBER(SEARCH($J$6,$A2)),$J$6,"")

C	D	E	F	G	H	I	J	K
	-							
	期初存貨						期初存貨	90,000
		本期進貨					本期進貨	18,000
			本期出售				本期出售	(27,000)
				本期領用			本期領用	(45,000)
					期末存貨		期末存貨	36,000
	期初存貨							
		本期進貨						
			本期出售					
				本期領用				
					期末存貨			
	期初存貨							
		本期進貨						
			本期出售					
				本期領用				
					期末存貨			

第一步，往往最辛苦，只要順利跨出，接下來會走得很快。在這裡費盡心思將公式架好，圖的不是一時，而是長久的以後。如果是為了這個月彙總成本表需要，直接自己拿計算機按按即可，可是，想到日後的工作上，每個月都必須彙總一次成本表，如果現在把 Excel 公式架好，從今爾後每個月，只要把當月的系統報表貼上 A 欄 B 欄，J 欄 K 欄便會自動彙總，一勞永逸，絕對是 Excel 函數設定的最高境界，也是本書想要講的最最重點。況且，計算機可能手抽筋按錯，萬能的 Excel 大神是不會出錯的。

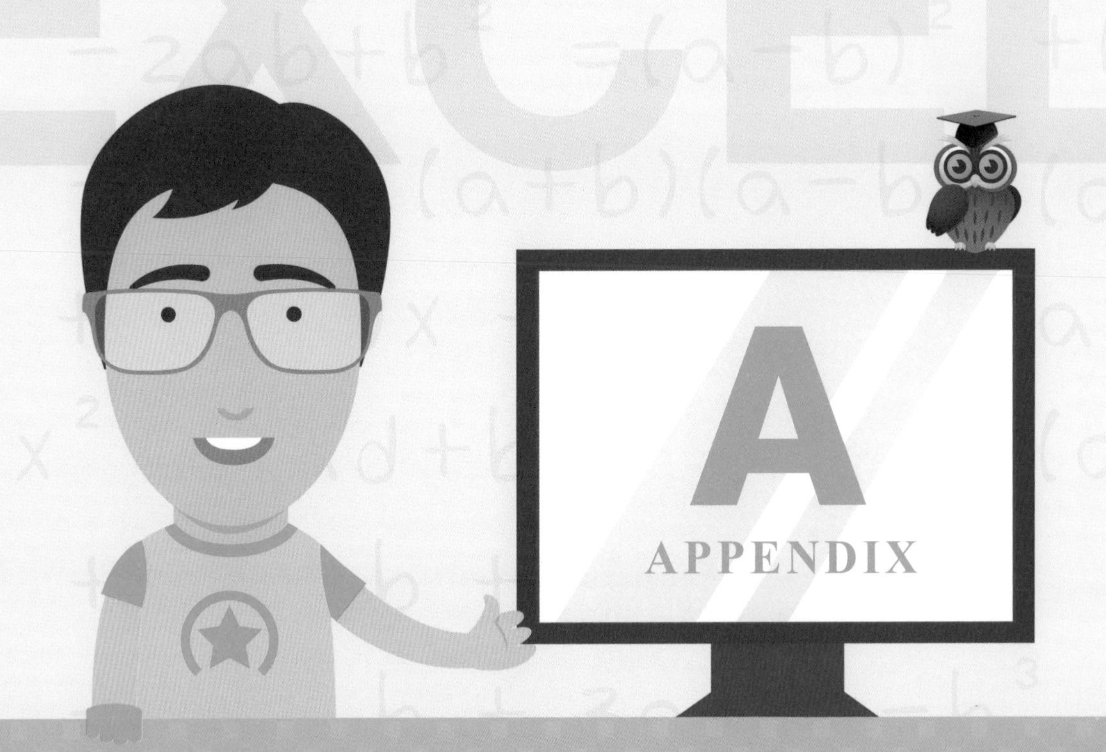

會計工作經驗分享

A.1 事務所面試經驗

A.2 事務所工作心得（上）

A.3 事務所工作心得（下）

A.4 我所走過的四大（上）

A.5 我所走過的四大（下）

A.1 事務所面試經驗

我大學總共唸八年，新聞系三年肄業，哲學系五年畢業。

高中國文老師有儒士風範，上課喜歡講些文史哲，當時年輕的心靈頗受影響，開始到圖書館借閱世界文學名著，全套一百本黃皮封面那種，暑假除了打打《三國志》和《仙劍奇俠傳》，閒暇之餘就研究西洋哲學史。

大學聯考選填志願，不想唸商、不想唸法，私心偏好酷酷的哲學系，但沒那麼狠直接填冷門科系，所以第一志願新聞，第二志願哲學，結果，人生如此奇妙，繞了一圈，我剛好把兩個給唸了。

在哲學系打怪兩年，暑假留在宿舍和柏拉圖對話，辯證出夢幻和現實之間的差距，開學選課，瞄準商學院的經濟學和會計學原理，迫於排課行程原因，在企管系國貿系財金系這麼多的可能組合裡面，最後兩個排上的，都是會計系開的課。

還記得會計學原理第一堂課，台上萬嫣苦口婆心說對會計系小大一說：不要覺得唸會計是上了賊船，初會、中會、高會唸得很煩，會計雖然不一定能賺大錢，但一定能賺個小錢。

當初就是這個「一定能賺個小錢」的保證，我下定決心要「初會中會高會」了，中間還有些插曲，修完會計學原理和經濟學的那年暑假，申請雙主修，第一志願會計系沒申請上，上了第二志願經濟系。於是我將錯就錯，開始了總經個經的學習旅程，然後因為唸會計系商法緣故，對法律產生興趣，所以法律系的課諸如《民法總則》、《親屬繼承》、《債總債各》，我一個也沒有耽誤、一路唸上去，三年六個學期的時間裡，每個學期超修，把會計系經濟系法律系的必修學分都吃下。

現在回想，超級後悔，唸大學花了太多時間、特別是大把青春消磨在白紙黑字上，明明周圍的世界這麼精彩。不過，也就是每學期超修熬出來的成績單，讓我剛開始面試時，雖然冷門非本科系，但是名校成績單一攤開，還是享有特殊待遇。

延畢第一年，大學第七年，我選修了會計系的必修《審計學》，偶然間得知，有四大校園徵聘這回事，知道的時候活動剛結束，但我不死心，到圖書館上網打開勤業眾信的官網，懷著激情和憧憬我報名了，過沒多久，就接到事務所人事電話通知面試。

面試那天，剛上完法律系的課，我就從社科院趕到民生東路。人事帶我到一個小房間，先做兩場測試，一場是智力測驗，一場是英語能力。

智力測驗題目爆多，文字題、數字題、圖案題，那時候我一邊做一邊想，上一次做智力測驗是什麼時候？這些鬼題目能測出智力？做的時候很緊張，最終仍沒有做完所有題目。英語能力對我比較沒有壓力，因為大學讀了好幾本英文小說，每天看管院的華爾街日報，沒有考不好的道理呀，實際做題目時很順利，在很篤定的心情下寫完。

智力測驗的結果，一直不得而知，到了兩三年後，真的在勤業工作了，還偶爾有股衝動想跑去人事那裡，問看看我到底有多聰明（或者有多笨）？英語測驗的結果倒是很快，因為接下來面試的協理，直接跟我說英文不錯，我頗為得意，馬上把每天英文小說和華爾街日報那一套搬出來。

面試我的除了協理，還有兩位經理，看來都是同事，因為經理很親切地叫協理老王。三位面試官明顯個性不同，協理一副德高望重，他講話時，兩位經理基本上保持專注傾聽，不過他話不多，也不提問，主要是敘述句，像是前面提到的英文考得不錯，就是翻翻我的成績單，說我怎麼修了那麼多課，再仔細看看，說我初會中會成管會審計都有修到啦！

我想起來了，老王協理唯一問的問題，是我怎麼穿著牛仔褲就跑來面試，我回應是因為剛在社科院上法律系的課，匆匆忙忙趕到這裡，服裝方面沒有來得及換，協理沒有再多問，算是安全過關了。

其中一個經理比較活潑，主要由她提問。她的問題偏八卦，例如問我哲學系怎麼會想來事務所呢？我當場把萬媽的「一定能賺個小錢」理論拿出來，那個經理顯然對於這個回答很滿意，笑得開心，很有同感地連聲稱是。從那次以後，但凡面試，但凡問我為什麼跑來做會計，我的標準回答都是萬媽經典語錄！

那個經理還提了一個令我印象深刻的問題，她問我有沒有投其他四大，我當場回應是沒有。一方面我知道校園徵才已經晚了，沒時間，另一方面勤業是四大裡面最大的，我希望能進勤業。那個經理顯然對於這個回答更是滿意，當場我看他們三個面試官，都是與有榮焉的表情。

另外一個經理不太講話，也沒什麼問題，大概就是很有禮貌地陪同（後來我才知道他們三個是同一會計師下，不同客戶別的經理）最後他們問我有沒有什麼問題想問，我的回答是進事務所之前，有些什麼東西可以先準備學習的，活潑經理的回答是：《審計學》認真唸一下，然後協理和另一個經理就笑了。

插入題外話，如果我有機會當面試官，有大學生問我這個問題，我一定回答學校裡不教 Excel，這個可以在進事務所前學學，具體可參考贊贊小屋的《會計人的 Excel 小教室》，嘿嘿。

面試大約持續了兩三個小時，包含筆試。那是我人生中，初次上打擊手位置，準備迎接面試官投來的各種球路，我其實沒有什麼準備，真的是匆匆忙忙，從社科院計程車到民生東路，或者應該說，我已經準備了三年，修了那麼多會計系法律系的課，具備考律師會計師資格，還雙主修了那麼多經濟系的課，都是為了這一次業餘球員上場做準備（哲學系非本科系學生）。

隔沒幾天，勤業那個人事又打電話給我，通知我錄取了，她在電話中聽得出來很開心，我掛上電話心情更是興奮不已，覺得自己終於拿到一張門票，這張門票，是我三年前暑假在宿舍，為自己哲學系打怪兩年後所辯證出的人生道路。三年後，我取得這條道路上最重要、最關鍵、最為寶貴的一張門票。

這次校園徵才面試，跟我考上台大一樣，都是人生旅途上，十字路口改變方向的轉捩點。掛上勤業人事的電話，我打電話跟奶奶講，錄取了全台灣最大間的會計師事務所，後來一直到我當兵退伍前，奶奶都很驕傲跟別人說，自己孫子還沒畢業，公司就答應要聘用了，還是台灣最大的一間公司，孫子很有才情。

因為會計系商法的緣故，我開始修法律系的課，這兩個科系的必修課程，我都學得很扎實。本來我大學時看了一個叫《律師本色（The Practice）》的美國法律影集，一直非常嚮往律師工作，對於畢業之後究竟是要走法律還是走會計，當時有點徬徨。曾經想過再去唸個法研所，一圓法律夢，不過後來上了勤業眾信的校園徵才，想想自己大學也唸太久了，於是再無懸念，專心畢業等當兵、退伍後就進事務所工作。

除了確定走會計道路，錄取勤業校園徵才還有一個影響，我本來不是在經濟系雙主修嗎，到了最後一年，眼看就差幾個學分，我就能拿到經濟系學位，然而超修太多，有一門管院統計學意外被當了，經濟系對於統計學分又很麻煩，我一氣之下，仗著自己已經錄取勤業，放棄了垂手可得的經濟系學位。

一直到我進勤業工作，事務所還認為我是經濟系雙主修。唉，畢業學校跟畢業科系，還是很管用的，我很是後悔當初放棄了經濟系，標準的年輕人氣意用事。

不過再轉念想想，有做錯的事，也有做得很對的事，以我現在工作幾年的心得來說，我覺得大學做了一件最正確的事，就是修了萬媽的《會計學原理》，因為萬媽說的對：「學會計不一定能賺大錢，但一定能賺個小錢！」

歡迎大家上賊船！

A.2 事務所工作心得（上）

四大會計師事務所統一的新生報到時間多半集中在七月或者九月。這個時間點，除了和學校畢業生銜接，更重要的是和事務所工作節奏配合。查帳忙季，指的是上半年一到五月，季報、年報、稅報，全都卡在一起，只有身陷其中的人，才能體會那是一種怎樣的無間道狀態。到了八月，以前要出查核的半年報，時間短、查核程序多，也是非常可怕，不過現在已改成半年報核閱很久了，我是不太清楚現在的狀況，但問了公司查帳的會計師，大多也只是苦笑帶過。

即使是核閱，那麼多客戶要一家一家跑，節奏也是很快，所以最佳的報到時間點就落在九月。一方面，小朋友（新鮮人）比較有可能面帶微笑，進入工作狀能；另一方面，在理論上和實務上，都是先評估內部控制、再執行證實性查核，九月剛好在做內控，是查核一家客戶財務報表的開始，很適合作新生訓練。

即使是會計系書卷小生一進事務所，照樣也要從挑水砍柴打雜做起，因為在實務面前，所有畢業生都是小朋友，in-charge 說啥，照做就對。不過，套句我剛進事務所沒幾天，大老闆會計師來外勤拍肩膀所鼓勵的：查帳累得像狗，但如果常常抽空，想想自己到底在幹嘛，還是有可能華麗轉身，變成名副其實的專業人士。九月報到進事務所，是天時（內控）地利（輕鬆）人合（incharge），完美具備實踐這個理想的條件。

這套九月報到思惟，我離開勤業時才體悟出來。不過其實還沒進去之前，大概已有點模糊觀念，知道忙季「入伍」，諸事不宜，但「玉不琢、不成器」，沒有親身經歷過，總是無法深刻領悟。

男生，畢業後得還國債。我先到成功嶺新兵訓練一個月、再到高雄鳳山步兵學校、最後是台南大內營部連菜排。整個軍旅生涯，我在混水摸魚極大化中安然度過。放假除了打 PS2 看日劇美劇，我還抽空報考了會計師，如果再加上剛畢業那次，在兩年內我連續考了兩次，兩次都是跟學校考試一樣，全力以赴地準備，怎知無奈，兩次都不甚理想，最後剩下三科：高會、中會、稅法。我常覺得我的考試運，可能在轉學成功和在學校修那麼多學分時已用光。後來進了事務所，工作很忙，我心想反正有鐵打的實務歷練，遂死了會計師這條心。

一方面怕當兵變笨，另一方面阿兵哥當久了，夢想著華麗轉身，於是熬到了十二月待退破百，我直接打電話給勤業人事，表明我要退伍了並詢問什麼時候能到事務所上班。

人事第一個反應是事務所都是七月或九月報到，建議我再等等，反正剛退伍先休息一下。我心急，說這樣等太久，很希望可以馬上工作，人事頓了一會，答應幫我問看看。過了幾天，終於定下來，記得是 1/18 星期四領退伍令，隔周 1/23 星期一，我西裝筆挺、滿懷壯志，走進民生東路辦公大樓。

沒去過傳說中的楊梅，只有簡單的事務所環境介紹，在人事那邊剛坐了兩個小時，領卡刷卡、領文具、筆電…等，就被領組（incharge）帶著坐小黃，匆匆忙忙趕往客戶那兒，開始第一天外勤。

當天晚上，我們外勤小組四個人一起到附近中山北路吃麵或快餐，回到查帳室時客戶都下班了，鑰匙留給我們，所以整層樓只剩下我們，在疊成小山的傳票底稿窩裡奮戰。雖然是加班，狀態比較輕鬆，領組用筆電放著流行歌曲，同事間偶爾討論公事、偶爾閒聊八卦，到了十一點，生理時鐘接近極限，開始準備收工，小朋友（我）幫大家打電話叫好計程車，十二點多終於回到租屋，結束第一天的工作。

從一月到五月，晚上打電話叫計程車的時間都差不多，只有更晚，沒有更早，而且不知道什麼叫星期六，如果能夠周休一日，就該吃個日本料理慶祝了。

抽空參加同學聚會，大家的疑惑和我沒進事務所前一樣，這麼多事情要做？這個可以分三個層面來說：首先，行程排的很滿。每家客戶通常只有一兩個星期，依照最理想狀態分配，但總是有新人（包括領組）不熟、或者客戶有新交易新模式、或者臨時各種狀況，這些都不會算進排程裡，所以需要自行克服；再者，這麼多客戶、這麼多工作底稿，為了有效降低查核風險，必須層層複核。小朋友做完領組看，領組看完經理看，經理看完，才是最後一關會計師看，每一層看完，沒意外都會有一張滿滿的待補事項，勤業叫「Follow」，安永叫「do」，理想狀態是外勤時，領組理級都複核完，小朋友也一條一條清完了。（通常）不理想狀態是沒清完，下一家外勤已經開始，所以只能週末到事務所加班清之前 N 家的「follow」；第三，事務所工作量大規模大，不管是工作底稿、查核報告、借「閱」歸檔、甚至是加班車資報工等行政事務，都有系統制式化的規定，必須照規定走，如果是行政事務還好，只要花點時間弄並不複雜，如果是底稿報告之類的 Excel 或 Word 不會弄，要請別人教或自己琢磨，時間如果是在晚上十一點或星期天下午，簡直是在挑戰我對工作的熱忱。

A.3 事務所工作心得（下）

事務所一向是「女生當男生用，男生當畜牲用。」十年前如此，現在如此，十年後，應該還是如此。所以別幻想能抽到好籤，別想說，可以進一個「操的還可以」的組，因為套句電影台詞：「往往環境改變了人，人改變不了環境。」不管是當初選填志願手賤，還是阿貓阿狗科系來搶會計飯碗，到事務所工作就要抱持著「進廚房，不要怕廚房髒」像海軍陸戰隊上天堂路的決心。

於是思考重點轉換成：這麼操，為了啥？

首先，沒有人出社會是當義工，最重要的優先考量點，應當是錢。

遙想我在事務所第一年，生活如同當兵般規律。每天十二點到家，稍作整理，凌晨一點上街跑步，洗完澡大約兩點，把握一天難得的自由時光，三點準時睡覺，隔天早上鬧鐘定八點，起床匆匆忙忙上班。那時候對於每天加班，我甘之如飴，反正學校剛畢業，反正當兵剛退伍，比起在學校窮到只剩下夢想，比起當兵悶到只剩下休假玩 PS，事務所工作是我想要的，再怎麼累，在客戶面前都是光鮮亮麗，對方會尊稱我一聲「會計師」（當時我其實只是個「小朋友」，會計「師」牌到現在還沒考到）。

朋友、同學間，最感興趣的第一個問題，便是上篇文章提到的：為什麼加班這麼晚？緊接而來的第二個問題，是如此加班，究竟領多少錢？

那時還沒發明 22K 偉大方案，金融風暴尚在醞釀成型中，職場世界的遊戲規則，至少就事務所而言，我個人感覺挺好。四大新鮮人標準起薪 32K，昏天暗地的加班結果，每月領薪水刷金融卡，都有四五萬元進帳。這個數字比上不足、比下有餘，即使像我在台北自己租房子，繳完月供和吃飯開銷之後，還是可以過得很小資，買個中等價位品牌吉他、甚至敗個 32 吋液晶電視，眼睛都不眨一下的，也不會心痛。

對於小朋友而言，最補薪水的不是加班費，而是大陸出差。我在事務所三年，有兩個遺憾：其一是沒查過真正的大公司，那種重點客戶一次外勤窩一兩個月的也輪不到我，還有那種到大陸盤點個把星期，一輛大巴四處遠征的，我也沒碰上。第二個遺憾，就是只去過一次大陸出差。一方面是因為我從來沒出過國，出國查帳對我來說很新鮮；另一方面是差旅費很補，我才去過一次一個禮拜，差旅費報了將近一萬元。那些每次去趟大陸兩三星期的同梯，錢當真躺著賺了（加班費照報喔）。

順便分享個人心得：一般金融外商組，在客戶那邊是吃香喝辣，但離不開台灣、甚至於離不開台北，一般傳產科技組，在客戶那邊跟著 cost down，但是通常出差大陸，機會少不了。

回到文章主題，繼續談錢。那時候還是小朋友的我，天大地大，沒想過買房子、沒想過結婚、沒想過生小孩，一個人有種薪水領很多的錯覺，花錢如流水，都不知道花哪去了。如果當時的我，有像現在「有土斯有財」的老思想，在淡水買間小房自給自足，絕對不是問題。

在台北工作三年，沒買個破爛房子，我很後悔。可是仔細反省，當初我的心態是既然工作很操，所以錢當然要多花一點，才會甘心繼續被操，更重要的是，我在事務所工作，事務所有固定的升官發財路線撐腰，所以在百貨公司錢儘管花，反正以後賺更多。

回到文章一開始的問題：「這麼操，為了啥？」

我個人覺得，就是為了這個「固定的升官發財路線」原因。

大學時候我學習很多課，後來聚焦於會計，一是因為校園徵才錄取了，保證退伍後不用找工作，二是因為事務所制度很明確，一年級小朋友有公定價，幹三年只要不是混到不行，準能當個 in-chagre，開始有小主管光環，五年後，通常能昇上理級。總而言之，在事務所，不但職稱是一路升上去，薪水也是等比例成長，到了理級之後，領的薪水仍然是「比上不足，比下有餘」。這裡說的薪水，並非新鮮人無憂無慮的水平，而是以一個在台北想要有房有車、結婚生子，負擔得起每月開銷的概念。（當然買房首付，還是得存個幾年或是長輩幫忙）。

走到結婚生子，大概是理級「坎站」了。事務所在薪水上雖然給的起，但加班問題似乎無解。理論上，理級已經是大主管，如果還需要加班，代表自己無能，管理無方。但實際上，我事務所待三年，看了那麼多理級，只看過一個每天準時下班的，所以關於加班這點，還是回到文章一開始所說的：「往往環境改變了人，人改變不了環境。」事務所環境就是如此，如果沒打算跳，看開點，沒什麼好抱怨的。

還沒進事務所，大家都會說男女朋友肯定會分手，好像事務所這麼操，其他事情都做不了了。但我進事務所後遇到上了年紀的理級，無論是男是女，該結婚的結婚、該生小孩的生小孩，該幹嘛的幹嘛，沒有一個耽誤到，足以見得這條路還是可行的。不過仔細想想，這些理級清一色都是單方在事務所，沒遇過夫妻雙方都在事務所工作的（單純個人經驗），所以我覺得如果兩方都在事務所，想組建家庭，工作時間上很難實現，除非不想生小孩、不想自己帶小孩了。

雖然這麼操，操到工作與家庭難以兼顧，但針對這個困境，事務所仍然有「固定的逃生路線」。記得剛進事務所當小朋友，彼此之間聊天的話題，其中之一必定是要待幾年，因為工作明擺著難熬，因為前輩例子所在多有，待個幾年，跳到業界還算不錯，畢竟，每個客戶（公司）都需要穩定的會計，而有事務所背景的會計，跟其他一般工作比起來，仍然是比上不足、比下有餘。

我那時候給的答案是想待四年，實際上是待近一年就逃了，逃了才發現離不開會計，只得又回到事務所，總共事務所資歷近三年，有跟上「固定的升官發財路線」，然後也有接上「固定的逃生路線」！

所以「這麼操，為了啥？」，為了這兩條我實踐過的路線吧！

A.4 我所走過的四大（上）

我出社會的第一份工作是會計師事務所，而我第一次搭飛機離開台灣，就是出差到大陸查帳。那時候還沒三通，需要繞境香港，我們的客戶在東莞，所以入境香港後，還要再通關入境大陸，走一條很長的通道，轉搭大巴到客戶那邊。

整個過程有點複雜，我從沒出過國，當時如果沒有組長跟同事帶，一個人肯定走丟，誠惶誠恐的迷失在大陸邊境。

順利平安到了東莞台資廠，客戶端的財務長也是事務所出身，待了四年後跳到業界工作。

還記得，那時候帶隊查帳的組長，總是說那個財務長卡到一個好位置，言談之中似乎有點羨慕。而那個財務長，總是勸組長在事務所不用久待，四年已經夠了，言談之中，有意挖角。

在事務所工作，真的待個四年就夠了嗎？

一般的四大，前幾年的工作性質很制式化。第一年，當學徒打雜練基本功，做一些現金、業外等小科目、翻翻傳票核核憑證。到了第二年，才能做比較複雜的科目，像是存貨、應收帳款、長投之類的，狀況好一點，還可以查一整個小家客戶。邁入第三年，則是開始當組長帶隊查帳，獨當一面負責整個財報稅報。所以，對於一個財會人員來說，一入門就進事務所，特別是進四大，可以打下很紮實的基礎。雖然很操很累的程度，外人無法想像，但是再怎麼燃燒小宇宙、爆肝硬撐，務必也要磨個三年以上，才能夠把事務所查帳那一套，全部都消化吸收到自己肚子裡。

熬到第四年以上，工作同質性會越來越高。即使一直換客戶，接觸不同的產業跟相對應的帳務處理，雖然也能學到新的東西，但是因為基本的內容大同小異，所以能增加的新知也有限。況且，以事務所水深火熱的情形，都會傾向於讓老班底查老客戶，比較少有機會一直查不同的客戶。如同那個財務長說的：待四年差不多該跳了，的確是有他親身體驗過的道理在。因為操了三、四年，對於事務所的東西很熟，還是免不了要常常加班，就算一開始進事務所的時候，再怎麼滿腔熱血，還是容易有工作上的倦怠感，這時候跳到業界，有課長級以上的好位置，何樂而不為？因此，在事務所待到四五年是個分水嶺，很多人會在這階段跳到業界鴻圖大展。

當然，也有人繼續留在事務所。

留下來，雖然工作同質性高，但是再操個兩三年就有機會升理級。正常來講，工作上比較能夠鬆一口氣，薪水也達到水準之上，只是要再繼續往上，挑戰金字塔頂端的簽證會計師，有沒有牌只是個基本的入場券。需要更多的是：人際手腕、客戶關係、以及成功人士都必須具備的運氣，還有一個事務所怎麼也跑不掉的東西：隨時還是要有熬夜通宵的心理準備。

事務所裡面，一個會計師下面有幾個理級，所以可以想見，能夠更上一層樓的理級很少。雖然有機會，但可能要等很久。這些理級，待事務所習慣了，薪水也不錯，加上年紀有了，對他們而言，再跳到業界的好位置不多，因此，他們成為流動率大的事務所裡面，會計師底下最堅強的後盾。

最後總結一下：事務所是一個金字塔結構。最底層，是人最多、流動率最大的組員，中間，是最累、也學習的最多的組長，上面，是兵來將擋、水來土掩的理級，頂端，則是接近贏者全拿的會計師。

我自己呢，才剛爬到組長，就跳開這個金字塔了。

A.5 我所走過的四大（下）

我在事務所待的時間不長，其間遇過許多不同類型的客戶，在此分享個人心得：

金融業

剛進事務所當小朋友，第一個查的就是銀行，時間短暫，之後沒有再接觸過，所以其實不熟，單純只是個很寶貴的經驗。第一印象首先是光鮮亮麗，無論客戶工作人員、辦公大樓、接待會計師等各方面，一句話，出外勤到銀行，跟出外勤到傳產和科技業的感覺，完全不在一個檔次。

除了表面上光鮮亮麗，金融業和製造業的查核內容重點完全不同。製造業的獲利來源是生產銷售，重點科目在於存貨，金融業獲利來源是放款，重點科目在應收帳款。記得我當時煞有其事，到圖書館借了一本破爛的《銀行會計》。但其實當時身為小朋友，查最多的還是現金跟核憑。不過即使是小朋友查銀行，花樣也很多，印象中那時候常常跑進口押匯部門、還要上網查詢國外金融商品的價格，非常新奇。

事情往往是一體兩面，金融業和製造業性質不同，對於查帳員而言，可以接觸到的東西不一樣，從相反角度言之，便是被侷限住了。一般看法是，查製造業再去查金融業，隔行如隔山，很難，而金融業跨到製造業，相較之下，門檻低很多。小朋友尚可兩邊都沾一下，到了領組以上，應該就要選邊站，無論是將來的理級舖路，或是可能的跳槽業界發展，都必須仔細思量。

外商

除了金融業，另一個光鮮亮麗的類型是外商。依我的查核經驗（日商為主），很多外商在台灣沒有工廠，只是個辦事處，營銷海外工廠直接進口的產品。辦公室通常很氣派，可是對查帳而言，帳務簡單，無技術含量，就是貿易買賣業而已，找不出足以練兵的科目。比較特別的是日企制度嚴謹，所以很重視內部控制，在內控查核中的瞭解企業內控這個環節，可以見識與學習一番。

查外商，最可以拿出來講的，當然是外語能力。一般外商會要求英文報告，因為要提交給外籍主管或海外總公司。查帳員忙到沒時間唸英文，剛好利用這個機會溫故知新。不過，寫過幾次就會發現，財務報告上用到的英文，就那麼一小個圈圈，況且跟中文報告一樣，大家習慣抄前期、抄其他家，不到最後一刻，不會自己動手寫，所以其實能提升的有限。

個人經驗印象深刻者，和客戶日籍主管開會、吃飯時，可以用英語表達我的意見想法（日語實在不行），算是對自己英語口說能力的肯定。還有一次查核一家新成立的日企，要求查核底稿全英語寫作，雖然花了我比較多的時間，還是難不倒我，算是我在日商組的小成就里程碑。

如果有機會做美商或日商的稅簽，是一個練功夫的好機會，雖然還是偏簡單，但重點是，可以做薪資的稅抽或調節表，趁機比較一下，外商薪資水平到底有沒有比較高。依我個人經驗，日商大多台灣化了，除了少數特例，平均是有高一點，但沒高到哪裡去，美商都還不錯，明顯高出一大截，一個小小應收，足以完敗台資上市中小主管了。

非營利機構

前面提到外商帳務大多簡單，但比上不足，比下有餘，下面還有個非營利機構，是事務所客戶中，最最簡單的類型了。不過，縱使簡單輕鬆，通常給的經費大方慷慨，對待查帳員福利普遍不錯，所以每個會計師都樂於多養幾頭小肥羊。實際工作上，查完幾家難搞的製造業金融業之餘，中間穿插一兩個星期，到基金會呀、祭祀公會呀、研究所呀、學校醫院（這個倒是有一定複雜度）呀走走，呼吸不同的新鮮空氣，對於查帳員而言，也是一次難忘而美好的經驗。

既然談到了非營利機構，藉這個機會要說一下環保署。話說，偶爾呼吸新鮮空氣很好，但是這個環保署，量超級巨大，而實際工作內容，就是去飲料瓶裝相關的公司點點數量，勾稽相關報表。往往任務派下來，一個禮拜，每天去不同地方，做重複且沒有技術含量的工作，雖然公費高，方便塞案件給空閒人力，是會計師眼中的大肥缺，卻是查帳員心中大屎缺，如果遇到各部門間擺不平，某個組別一直被凹，長期下來，就是很傷。所以呢，雖然進事務所跟當兵一樣，一款人一款命，但是事務所畢竟不是當兵，如果發現情況不對勁，夢想跟現實差距太大，台灣四大總共有四家，趁還年輕，換地方抽抽獎，在短暫的查帳生涯中，燃燒小宇宙給更有價值的客戶吧！

最後不免俗地盤點個人短暫查帳生涯中的最美麗風景。除了前面提到過的英文工作底稿，我支援過一次外商併購台資上市公司專案，提供國外事務所合併Package，那次我可說是一戰成名（英文實戰能力夠強）。另外也去支援過一個老集團企業合併，竟然有上百家子公司，合併分錄可以弄個好幾天，去過 Toshiba、Hitachi、Canon 等令人心曠神怡的查帳室。盤點過老衛浴公司，滿山滿谷的馬桶在眼前，到過葡萄王工廠，看著一瓶一瓶的飲料挨著流水線排排隊，還去過 LEVIS 辦公室，一整個空曠區域，掛滿了美倫美煥的牛仔褲。

所以話說回來，事務所如果不爆肝，真心覺得是份成就感十足的工作，好比是少林寺十八銅人陣，學過會計功夫的莘莘學子們，都應該來闖闖，再怎麼說，也是進可攻，退可守！

會計人的 Excel 小教室增訂版

作　　者：贊贊小屋
企劃編輯：莊吳行世
文字編輯：王雅雯
設計裝幀：張寶莉
發 行 人：廖文良

發 行 所：碁峰資訊股份有限公司
地　　址：台北市南港區三重路 66 號 7 樓之 6
電　　話：(02)2788-2408
傳　　真：(02)8192-4433
網　　站：www.gotop.com.tw
書　　號：ACI032400
版　　次：2019 年 04 月二版
建議售價：NT$299

國家圖書館出版品預行編目資料

會計人的 Excel 小教室 / 贊贊小屋著. -- 二版. -- 臺北市：碁峰資訊, 2019.04
面；　公分
ISBN 978-986-502-100-9(平裝)
1.EXCEL(電腦程式)　2.會計
312.49E9　　108005015

讀者服務

- 感謝您購買碁峰圖書，如果您對本書的內容或表達上有不清楚的地方或其他建議，請至碁峰網站：「聯絡我們」\「圖書問題」留下您所購買之書籍及問題。(請註明購買書籍之書號及書名，以及問題頁數，以便能儘快為您處理）
http://www.gotop.com.tw
- 售後服務僅限書籍本身內容，若是軟、硬體問題，請您直接與軟體廠商聯絡。
- 若於購買書籍後發現有破損、缺頁、裝訂錯誤之問題，請直接將書寄回更換，並註明您的姓名、連絡電話及地址，將有專人與您連絡補寄商品。